EL MUSEO
DE LOS ESFUERZOS INÚTILES

CRISTINA PERI ROSSI

El museo
de los esfuerzos inútiles

SEIX BARRAL

Cubierta: Edward Hopper,
«Oficina en Nueva York», 1962

Primera edición: febrero 1983
Segunda edición: diciembre 1984
Tercera edición: junio 1989

© 1983: Cristina Peri Rossi

Derechos exclusivos de edición en castellano
reservados para todo el mundo:
© 1983 y 1989: Editorial Seix Barral, S. A.
Córcega, 270 - 08008 Barcelona

ISBN: 84-322-4524-0

Depósito legal: B. 22.015 - 1989

Impreso en España

Ce sont les vertiges qui sont mes rivières vives.

HENRI MICHAUX, *La vie dans les plis*

La categoría en la cual el cosmos se evidencia es la categoría de la alucinación.

GOTTFRIED BENN, *Doble vida*

El auténtico cuento debe ser al mismo tiempo representación profética —una representación ideal— y una representación absolutamente necesaria. Los auténticos escritores de cuentos son visionarios del futuro.

NOVALIS, *Fragmentos*

Es la *formación,* y no la forma, lo misterioso.

GASTON BACHELARD

EL MUSEO DE LOS ESFUERZOS INÚTILES

Todas las tardes voy al Museo de los Esfuerzos Inútiles. Pido el catálogo y me siento frente a la gran mesa de madera. Las páginas del libro están un poco borrosas, pero me gusta recorrerlas lentamente, como si pasara las hojas del tiempo. Nunca encuentro a nadie leyendo; debe ser por eso que la empleada me presta tanta atención. Como soy uno de los pocos visitantes, me mima. Seguramente tiene miedo de perder el empleo por falta de público. Antes de entrar miro bien el cartel que cuelga de la puerta de vidrio, escrito con letras de imprenta. Dice: *Horario: Mañanas, de 9 a 14 horas. Tardes, de 17 a 20. Lunes, cerrado.* Aunque casi siempre sé qué Esfuerzo Inútil me interesa consultar, igual pido el catálogo para que la muchacha tenga algo que hacer.

—¿Qué año quiere? —me pregunta muy atentamente.

—El catálogo de mil novecientos veintidós —le contesto, por ejemplo.

Al rato ella aparece con un grueso libro forrado en piel color morado y lo deposita sobre la mesa, frente a mi silla. Es muy amable, y si le parece que la luz que entra por la ventana es escasa, ella misma enciende la lámpara de bronce con tulipán verde y la acomoda de modo que la claridad se dirija sobre las páginas del libro. A veces, al devolver el catálogo, le hago algún comentario breve. Le digo, por ejemplo:

—El año mil novecientos veintidós fue un año muy intenso. Mucha gente estaba empeñada en esfuerzos inútiles. ¿Cuántos tomos hay?

—Catorce —me contesta ella muy profesionalmente.

Y yo observo alguno de los esfuerzos inútiles de ese año, miro niños que intentan volar, hombres empeñados en hacer riqueza, complicados mecanismos que nunca llegaron a funcionar, y numerosas parejas.

—El año mil novecientos setenta y cinco fue mucho más rico —me dice con un poco de tristeza—. Aún no hemos registrado todos los ingresos.

—Los clasificadores tendrán mucho trabajo —reflexiono en voz alta.

—Oh, sí —responde ella—. Recién están en la letra C y ya hay varios tomos publicados. Sin contar los repetidos.

Es muy curioso que los esfuerzos inútiles se repitan, pero en el catálogo no se los incluye: ocuparían mucho espacio. Un hombre intentó volar siete veces, provisto de diferentes aparatos; algunas prostitutas quisieron encontrar otro empleo; una mujer quería pintar un cuadro; alguien procuraba perder el miedo; casi todos intentaban ser inmortales o vivían como si lo fueran.

La empleada asegura que sólo una ínfima parte de los esfuerzos inútiles consigue llegar al museo. En primer lugar, porque la administración pública carece de dinero y prácticamente no se pueden realizar compras, o canjes, ni difundir la obra del museo en el interior y en el exterior; en segundo lugar, porque la exorbitante cantidad de esfuerzos inútiles que se realizan continuamente exigiría que mucha gente trabajara, sin esperar recompensa ni comprensión pública. A veces, desesperando de la ayuda oficial, se ha apelado a la iniciativa privada, pero los resultados han sido escasos y desalentadores. Virginia —así se llama la gentil empleada del museo que suele conversar conmigo— asegura que las fuentes particulares a las cuales se recurrió se mostraron siempre muy exigentes y poco comprensivas, falseando el sentido del museo.

El edificio se levanta en la periferia de la ciudad, en un campo baldío, lleno de gatos y de desperdicios, donde todavía se pueden encontrar, sólo un poco más abajo de la superficie del terreno, balas de cañón de una antigua guerra, pomos de espadas enmohecidos, quijadas de burro carcomidas por el tiempo.

—¿Tiene un cigarrillo? —me pregunta Virginia con un gesto que no puede disimular la ansiedad.

Busco en mis bolsillos. Encuentro una llave vieja, algo mellada; la punta de un destornillador roto, el billete de regreso del autobús, un botón de mi camisa, algunos níqueles y, por fin, dos cigarrillos estrujados. Fuma disimuladamente, escondida entre los gruesos volúmenes de lomos desconchados, el marcador del tiempo que contra la pared siempre indica una hora falsa, generalmente pasada, y las viejas molduras llenas de polvo. Se cree que allí donde ahora se eleva el museo, antes hubo una fortificación, en tiempos de guerra. Se aprovecharon las gruesas piedras de la base, algunas vigas, se apuntalaron las paredes. El museo fue inaugurado en 1946. Se conservan algunas fotografías de la ceremonia, con hombres vestidos de frac y damas con faldas largas, oscuras, adornos de estraza y sombreros con pájaros o flores. A lo lejos se adivina una orquesta que toca temas de salón; los invitados tienen el aire entre solemne y ridículo de cortar un pastel adornado con la cinta oficial.

Olvidé decir que Virginia es ligeramente estrábica. Este pequeño defecto le da a su rostro un toque cómico que disminuye su ingenuidad. Como si la desviación de la mirada fuera un comentario lleno de humor que flota, desprendido del contexto.

Los Esfuerzos Inútiles se agrupan por letras. Cuando las letras se acaban, se agregan números. El cómputo es largo y complicado. Cada uno tiene un casillero, su folio, su descripción. Andando entre ellos con extraordinaria agilidad, Virginia parece una sacerdotisa, la virgen de un culto antiguo y desprendido del tiempo.

Algunos son Esfuerzos Inútiles bellos; otros, sombríos. No siempre nos ponemos de acuerdo acerca de esta• clasificación.

Hojeando uno de los volúmenes, encontré a un hombre que durante diez años intentó hacer hablar a su perro. Y otro, que puso más de veinte en conquistar a una mujer. Le llevaba flores, plantas, catálogos de mariposas, le ofrecía viajes, compuso poemas, inventó canciones, construyó una casa, perdonó todos sus errores, toleró a sus amantes y luego se suicidó.

—Ha sido una empresa ardua —le digo a Virginia—. Pero, posiblemente, estimulante.

—Es una historia sombría —responde Virginia—. El museo posee una completa descripción de esa mujer. Era una criatura frívola, voluble, inconstante, perezosa y resentida. Su comprensión dejaba mucho que desear y además era egoísta.

Hay hombres que han hecho largos viajes persiguiendo lugares que no existían, recuerdos irrecuperables, mujeres que habían muerto y amigos desaparecidos. Hay niños que emprendieron tareas imposibles, pero llenas de fervor. Como aquellos que cavaban un pozo que era continuamente cubierto por el agua.

En el museo está prohibido fumar y también cantar. Esta última prohibición parece afectar a Virginia tanto como la primera.

—Me gustaría entonar una cancioncilla de vez en cuando —confiesa, nostálgica.

Gente cuyo esfuerzo inútil consistió en intentar reconstruir su árbol genealógico, escarbar la mina en busca de oro, escribir un libro. Otros tuvieron la esperanza de ganar la lotería.

—Prefiero a los viajeros —me dice Virginia.

Hay secciones enteras del museo dedicadas a esos viajes. En las páginas de los libros los reconstruimos. Al cabo de un tiempo de vagar por diferentes mares, atravesar bosques umbríos, conocer ciudades y mercados, cruzar puentes, dormir en los trenes o en los bancos del andén, olvidan cuál era el sentido del viaje y, sin embargo, continúan viajando. Desaparecen un día sin dejar huella ni memoria, perdidos en una inundación, atrapados en un subterráneo o dormidos para siempre en un portal. Nadie los reclama.

Antes, me cuenta Virginia, existían algunos investigadores privados; aficionados que suministraban materiales al museo. Incluso puedo recordar un periodo en que estuvo de moda coleccionar Esfuerzos Inútiles, como la filatelia o los formicantes.

—Creo que la abundancia de piezas hizo fracasar la afición —declara Virginia—. Sólo resulta estimulante buscar lo que escasea, encontrar lo raro.

Entonces llegaban al museo de lugares distintos, pedían información, se interesaban por algún caso, salían con folletos y regresaban cargados de historias, que reproducían en los impresos, adjuntando las fotografías correspondientes. Esfuerzos Inútiles que llevaban al museo, como mariposas, o insectos extraños. La historia de aquel hombre, por ejemplo, que estuvo cinco años empeñado en evitar una guerra, hasta que la primera bala de un mortero lo descabezó. O Lewis Carroll, que se pasó la vida huyendo de las corrientes de aire y murió de un resfriado, una vez que olvidó la gabardina.

No sé si he dicho que Virginia es ligeramente estrábica. A menudo me entretengo persiguiendo la dirección de esa mirada que no sé adónde va. Cuando la veo atravesar el salón, cargada de folios, de volúmenes, toda clase de documentos, no puedo menos que levantarme de mi asiento e ir a ayudarla.

A veces, en medio de la tarea, ella se queja un poco.

—Estoy cansada de ir y venir —dice—. Nunca acabaremos de clasificarlos a todos. Y los periódicos también. Están llenos de esfuerzos inútiles.

Como la historia de aquel boxeador que cinco veces intentó recuperar el título, hasta que lo descalificaron por un mal golpe en el ojo. Seguramente ahora vagabundea de café en café, en algún barrio sórdido, recordando la edad en que veía bien y sus puños eran mortíferos. O la historia de la trapecista con vértigo, que no podía mirar hacia abajo. O la del enano que quería crecer y viajaba por todas partes buscando un médico que lo curara.

Cuando se cansa de trasladar volúmenes se sienta sobre una pila de diarios viejos, llenos de polvo, fuma un cigarrillo —con disimulo, pues está prohibido hacerlo— y reflexiona en voz alta.

—Sería necesario tomar otro empleado —dice con resignación.

O:

—No sé cuándo me pagarán el sueldo de este mes.

La he invitado a caminar por la ciudad, a tomar un café o ir al cine. Pero no ha querido. Sólo consiente en conversar conmigo entre las paredes grises y polvorientas del museo.

Si el tiempo pasa, yo no lo siento, entretenido como estoy todas las tardes. Pero los lunes son días de pena y de abstinencia, en los que no sé qué hacer, cómo vivir.

El museo cierra a las ocho de la noche. La propia Virginia coloca la simple llave de metal en la cerradura, sin más precauciones, ya que nadie intentaría asaltar el museo. Sólo una vez un hombre lo hizo, me cuenta Virginia, con el propósito de borrar su nombre del catálogo. En la adolescencia había realizado un esfuerzo inútil y ahora se avergonzaba de él, no quería que quedaran huellas.

—Lo descubrimos a tiempo —relata Virginia—. Fue muy difícil disuadirlo. Insistía en el carácter privado de su esfuerzo, deseaba que se lo devolviéramos. En esa ocasión me mostré muy firme y decidida. Era una pieza rara, casi de colección, y el mu-

15

seo habría sufrido una grave pérdida si ese hombre hubiera obtenido su propósito.

Cuando el museo cierra abandono el lugar con melancolía. Al principio me parecía intolerable el tiempo que debía transcurrir hasta el otro día. Pero aprendí a esperar. También me he acostumbrado a la presencia de Virginia y, sin ella, la existencia del museo me parecería imposible. Sé que el señor director también lo cree así (ése, el de la fotografía con una banda bicolor en el pecho), ya que ha decidido ascenderla. Como no existe escalafón consagrado por la ley o el uso, ha inventado un nuevo cargo, que en realidad es el mismo, pero ahora tiene otro nombre. La ha nombrado vestal del templo, no sin recordarle el carácter sagrado de su misión, cuidando, a la entrada del museo, la fugaz memoria de los vivos.

EN LA CUERDA FLOJA

Desde que nací, me aficioné a la cuerda. Al principio, era una cuerda tensa pero, con el tiempo, se fue aflojando. Pero para mí no tenía importancia, pues ya me había acostumbrado. Los dedos de mis pies eran como garfios y se adherían a la cuerda de tal modo que no temía caerme. Ya no descendí: prefería estar todo el tiempo en el aire, y comía mis comidas allá arriba, leía, escuchaba música y confeccionaba pequeños objetos de mimbre —posavasos, manteles y cestos— mientras me paseaba.

Cuando era pequeño, mis padres encargaron a un buen hombre mi vigilancia. Se trataba de un funcionario jubilado, que corría de un lado a otro de la habitación, con una bolsa de arpillera en los brazos, por si yo me caía. El pobre hombre estaba muy ocupado, pues yo, con mi inquietud infantil, me deslizaba incesantemente de un extremo a otro de la cuerda y él debía seguirme, con el gran agujero de la bolsa abierto. El viejo resoplaba, su frente se perlaba de sudor y a veces me pedía que me detuviera, para poder descansar un rato. Yo no era muy conversador, por lo cual su tarea se volvía angustiosa y solitaria. Sin embargo, tengo que reconocer que le debo a él los conocimientos que poseo de las ciencias y de las artes, ya que mientras yo me detenía en un lugar o en otro de la cuerda, él aprovechaba para informarme acerca de las leyes físicas o los metros de la poesía. Era un buen hombre y me quería como a un hijo. Solía decir que estaba cansado, que ese trabajo no era para él, que ya tenía muchos años, pero la jubilación no le alcanzaba para vivir. Por eso yo no me preocupaba cuando descuidaba un poco su trabajo y dejaba de correr por el suelo, bajo mis pies, y aprovechaba el descanso para liar un cigarrillo o beberse un vaso de vino.

A veces le gastaba bromas; me deslizaba como siempre por la cuerda, con paso cauto y firme, pero al llegar a la mitad, simulaba resbalar; el pobre hombre, desesperado, corría hasta quedar exactamente debajo de mí y abría muy grande la boca de la bolsa, para recogerme. Pero yo no caía. En realidad, no recuerdo haberme caído ni una sola vez. Por lo demás, yo dudaba mucho de que su agilidad le permitiera llegar a tiempo, en el caso de que, efectivamente, yo me cayera: aunque andaba muy rápido y era muy atento (con un ojo vigilaba siempre mis pasos arriba de la cuerda) posiblemente mi descenso fuera más veloz que sus piernas.

Un día, dispuesto a jugarle una broma, cuando estaba casi en el extremo de la cuerda, simulé un grito; el viejo se precipitó, aterrado, y yo dejé caer sobre el agujero de la bolsa un ratón rosado que había guardado en mi bolsillo. El ratón cayó exactamente sobre la boca de la bolsa, pero él no lo vio hasta después, porque había cerrado los ojos. Ese día se fastidió conmigo y estuvo a punto de renunciar a su empleo. Yo le pedí perdón, sinceramente, y le rogué que permaneciera debajo de mí, ya que su presencia, su empeño con la bolsa, sus locas carreras y sus cuentos —en los raros momentos de paz— me estimulaban. En realidad, ya había decidido no bajar. Se lo comuniqué pocos días después. No demostró mayor sorpresa y no discutió conmigo, cosa que le agradecí. Se dispuso de inmediato a realizar los preparativos necesarios para que mi vida, allá arriba, no fuera excesivamente incómoda. Primero izó una mesa, para que yo pudiera comer sobre ella sin mancharme. Luego, algunos implementos para mi lavado. Con un ingenioso sistema de cuerdas y poleas, me suministraba aquellos artículos que yo podía necesitar y que no estaban a mi alcance: la pastilla de jabón, el diario, las velas —hay frecuentes apagones en este lugar—, algún libro, las tijeras o una camisa limpia. Yo ya era un adolescente y él estaba muy preocupado por mi educación. Dispuso una pizarra en la pared y mientras yo estaba sentado en la cuerda, él desarrollaba fórmulas o me explicaba la geografía de Irlanda. Después consiguió un proyector de diapositivas y el resto de mi educación se hizo de esa manera.

—Si tuviera menos años —me decía—, yo también trataría de vivir allá arriba.

Sostenía que cada criatura tenía su espacio propio —la tierra, el aire, el agua— y no veía ningún inconveniente en que el mío fuera la cuerda. Es más: aseguraba que sólo las manipulaciones a las que sometemos nuestro instinto cambian esa inclinación; de ahí que seres terrestres padezcan en los vuelos de avión, seres aéreos sufran en los barcos y los hombres de mar se mareen en las ciudades.

Desde arriba, yo lo escuchaba con curiosidad, mientras me paseaba. Es verdad que vivía en constante peligro (una distracción cualquiera, una somnolencia imprevista, un traspié involuntario o la pérdida de mi capacidad de reflejos podían precipitarme al vacío), aunque al mismo tiempo me veía libre de otros. Lanzaba las cáscaras de banana a un cubo de basura, con notable precisión; recitaba versos de Amado Nervo y tocaba en la armónica viejas melodías indias; a veces, desde arriba, dirigía la disposición de un mueble o arreglaba los cables de la luz. Sólo la posibilidad de recibir visitas me causaba terror. No deseaba ver a nadie y le había dado órdenes al viejo de que expulsara violentamente a cualquier intruso. Cuando imprevistamente alguien entraba a la habitación, yo me iba hasta un extremo y, pegado al techo, intentaba desaparecer, como un insecto oscuro. Imaginaba que desde abajo, el recién llegado divisaría nada más que la cuerda balanceándose en el vacío, como un cable sobre el mar.

—Si tuviera menos años —insistía el viejo— me subiría allí contigo, a descansar —decía.

Un día, el buen hombre trajo a su hija para que me conociera. Lo hizo por sorpresa, y eso me desagradó. Me escondí detrás de la araña del techo. Era una gran araña, de esas que se usan en los teatros o en los salones de las nobles familias, y tenía muchos caireles. Por hacer algo, a veces yo me entretenía lustrándolos con un paño mojado en vinagre. Desde mi rincón, la vi entrar, con pasos medidos y tacones negros. Vestía un impermeable beige y tenía los cabellos cortos. Yo no creía que el espectáculo de la cuerda pudiera interesarle. Me había negado, desde mi más tierna infancia, a realizar pruebas y ejercicios en la cuerda: sólo me paseaba, y despreciaba a los gimnastas y equilibristas que entretenían al público en los circos o tablados.

20

Ella se dirigió hacia el centro de la habitación y miró hacia arriba. Las tablas del suelo crujieron un poco. El viejo se sentó en una silla, como un portero cuando ha empezado la función. Dejé que me buscara con la mirada, pues difícilmente podría descubrirme a primera vista; su cuello, no acostumbrado a las alturas, se cansaría antes de divisarme. El viejo se había puesto a leer el diario. Era una manera de dejarme solo ante el peligro.

—¡Oh! ¡Qué bonito cuadro! —murmuró ella, descubriendo una reproducción de Turner sobre la pared. Yo la había recortado y pegado, pero ya no estaba al alcance de mi mano. De lo contrario, la hubiera quitado, para que ella no pudiera mirarla. Desgraciadamente, la habitación estaba llena de recortes de diarios, fotografías, objetos en repisas que yo me había entretenido en disponer, y ella parecía empeñada en realizar el inventario.

—No toque eso —le grité, desde mi rincón, cuando alzó la mano para alcanzar uno de mis caleidoscopios. Sólo al viejo le permitía tocarlo y para que le quitara el polvo.

Ella retiró la mano y dirigió los ojos hacia mi rincón.

Entonces hizo una cosa completamente imprevista: ágilmente se subió a una silla, para estar más cerca de mí. Esto me irritó. Nunca nadie se había atrevido a tanto, ni siquiera el viejo, cuando le pedía algo; siempre se las ingeniaba para subírmelo a través del sistema de poleas.

—Bájese de allí —le grité, sofocado por la indignación.

No se movió. La silla era de paja y yo confiaba en que se rompiera bajo su peso. Pero desgraciadamente, yo mismo la había urdido, y era muy resistente.

—Me gustaría ver su rostro —me contestó, igno-rando mi orden.

Yo podía ver el suyo. Era algo redondo y sim-pático, vivaz, desenvuelto. Cerré los ojos. Hubiera preferido que se pareciera al viejo, que tenía un rostro trabajado por el tiempo, la angustia y la in-certidumbre. Cuando los abrí, ella continuaba de pie sobre la silla, como una estatua de pórfido.

—He traído algo para usted —me dijo, preten-diendo halagarme. Conocía esa treta: la habían em-pleado muchas veces mis padres, mis vecinos y hasta un médico. Pequeños objetos que tenían la función de disuadirme, o de estimularme, o de convencerme de algo.

—No necesito nada —dije, con firmeza.

No sé por qué, sospeché que tenía una cámara fotográfica entre sus ropas, y que pretendía sacarme una fotografía. Hay gente así. Pero debía ser una fantasía: el viejo no le hubiera permitido entrar con una máquina escondida.

De pronto, súbitamente, descendió de la silla. Se acomodó los zapatos, la falda color aceituna y dijo, dirigiéndose al viejo que leía o simulaba leer:

—Es verdad: no necesita nada.

El hombre murmuró:

—Ya te lo dije, hija.

Entonces me asomé. No mucho, pero lo suficiente como para que me viera. Di unos pasos sobre la cuerda y la miré.

Ella alzó la cabeza y sonrió. Me gustó su sonrisa. Era parecida a la del viejo.

—¿Sabe? —me dijo, en voz baja, humilde, casi

confidencial—. En realidad, ardo en deseos de subir. Lo he deseado toda la vida.

Me quedé en silencio.

—En realidad, yo también —murmuró el viejo, en seguida—. Pero ya sabes, la edad, los achaques, el calor, el frío. No resisto mucho tiempo de pie. Ya ni siquiera me preocupo de la bolsa. Pero él no la necesita. Ni la bolsa, ni a mí. No necesita a nadie.

—Siempre deseé subir —repitió ella, elevando los ojos con arrobamiento. Tenía un gesto implorante que me peturbaba.

—Quizás, si fuera más joven —continuó el viejo—, lo intentaría. Pero a mi edad, casi todas las cosas están prohibidas, salvo correr con una bolsa en la mano por una habitación vacía.

—Si usted quisiera... —murmuró la muchacha—... si usted me permitiera intentarlo...

—No es posible —dije, quedamente—. No se trata de egoísmo...

—Sólo una vez. Una vez tan sólo, le prometo —suplicó ella—. Como un paseo en bote, cuando se es pequeño, o un viaje en globo, o una excursión a la isla de pelícanos... El sueño de toda la vida, una sola vez...

—No puedo —contesté, en voz baja.

—Si usted lo permitiera... No molestaría en absoluto. Sólo la posibilidad, un instante, de estar allá arriba, y después bajar...

—Querría quedarse siempre —vaticiné.

—No. Le prometo que no. Sólo una vez, un momento.

—Yo también lo deseé pero no pude —agregó el viejo—. Los impedimentos legales, la gota, la edad. Aunque sigo soñando con ello.

23

—Una vez, para probar —insinuó ella.

—No es posible —intenté disuadirla—. Aquí no hay lugar. Además, se caería. Sólo hay espacio para uno. Juntos, nos haríamos daño.

—No me importaría morir, después —agregó ella.

—No insista —respondí yo—. No se trata de mi voluntad. Son leyes físicas, de la naturaleza. Hay que respetarlas. Puede subirse a una silla y hablar conmigo, si lo desea. O irse a una montaña. Puede ascender a un avión o montar en teleférico. Pero aquí es imposible.

Ella bajó los ojos, con pena.

—Te lo dije —le reprochó el viejo—. Hay que resignarse.

—¡Hubiera sido tan hermoso! —suspiró ella, apoyando su cabeza en el hombro del anciano.

Para distraerla de la pena, di unos pasos de danza sobre la cuerda. No lo hago nunca, pero estaba triste por ella.

Se fue. Yo volví a mis actividades en la cuerda: lustré los caireles, hice un cesto de mimbre para guardar pañuelos, toqué la armónica y leí un periódico viejo. Añadí algunos recortes a la pared. Escribí un poema y una carta.

Al otro día, cuando desperté, vi entrar al viejo a la habitación con pasos nerviosos y rápidos, y aspecto agitado. Parecía huir de algo y resoplaba. Escuché un gran bullicio afuera.

—¿Qué ocurre? —le pregunté, asustado.

El viejo cerró bien la puerta y se apoyó contra ella.

—Hay una multitud allí afuera —dijo.

Pensé en varias cosas: quizás un triunfo deportivo, una manifestación política, un accidente o la llegada de una actriz. El tumulto se extendía y yo lo escuchaba cada vez más cerca de mí. Me paseé nervioso por la cuerda. El viejo seguía pegado a la puerta. Oí gritos, exhortaciones, silbidos y golpes.

—¿Qué quieren? —le pregunté al viejo, que sudaba.

El hombre señaló la cuerda.

—Todos quieren subir —me contestó, agotado.

MONA LISA

La primera vez que vi a Gioconda, me enamoré de ella. Era un otoño vago y brumoso; a lo lejos se diluían los perfiles de los árboles, de los lagos planos, como sucede en algunos cuadros. Una bruma ligera que enturbiaba los rostros y nos volvía vagamente irreales. Ella vestía de negro (una tela, sin embargo, transparente) y creo que alguien me contó que había perdido un hijo. La vi de lejos, como sucede en las apariciones, y desde ese instante, me volví extremamente sensible a todo lo que tuviera que ver con ella. Vivía en otra ciudad, según supe; a veces, realizaba cortos paseos, para mitigar su pena. De inmediato —y a veces, muy lentamente— supe qué cosas prefería, evoqué sus gustos aun sin conocerlos y procuré rodearme de objetos que la complacerían, con esa rara cualidad del enamorado para advertir pequeños detalles, como el coleccionista minucioso. Yo me volví un coleccionista, a falta de ella, buscando consuelo en cosas adyacentes. Nada hay superfluo para el amante. Giocondo, su marido, estaba en conflicto con un pintor, según me enteré; era un comerciante próspero y basto, enriquecido con el tráfico de telas y, como toda la gente de su clase, procuraba rodearse de objetos valiosos, aunque regateara el precio. Pronto averigüé el nombre de la ciudad donde vivían. Era un nombre sonoro y dulce; me sorprendí, porque debí suponerlo. Una ciudad de agua, puentes y pequeñas ventanas, construida hacía muchos siglos por mercaderes, antepasados de Giocondo, quienes, para competir con los nobles y con los obispos, contrataron a pintores y arquitectos para embellecerla, como hace una dama con sus doncellas. Habitaba un antiguo palacio, reconstruido, en cuya fachada había mandado realizar incrustaciones de oro. Sin embargo, mi informante me hizo notar que lo más bello de la fachada del palacio era un pequeño paisaje, una acuarela protegida por un marco de madera, que representaba la campiña y en medio un lago vaporoso, donde, apenas insinuado, levitaba un esquife. «Eso, seguramente, lo ha mandado hacer Gioconda», pensé, para mis adentros.

Desde que la vi, debo confesar que duermo poco. Mis noches están llenas de excitación: como si hubiera bebido demasiado o ingerido alguna droga enervante, cuando me acuesto mi imaginación despliega una actividad febril y poco ordenada. Elaboro ingeniosos proyectos, cultivo miles de planes, zumban mis ideas como abejas ebrias, la excitación es tan intensa que transpiro y me lanzo a comenzar diversas tareas que interrumpo, solicitado por otra, hasta que de madrugada, extenuado, me duermo. Mis despertares son confusos y poco recuerdo de lo que proyecté en la noche; me siento deprimido hasta que la visión de Gioconda —no soy un dibujante del todo malo y debo confesar que he realizado varios apuntes de su rostro, a partir del recuerdo de la primera vez que la vi— devuelve sentido a mis días y me alegra, como una secreta pertenencia. He des-

27

cuidado por completo a mi mujer; ¿cómo explicarle lo sucedido, sin traicionar a Gioconda? Pero ya no comparto su lecho, y procuro pasar todo el tiempo afuera, perdido entre los bosques que se dibujan tenuemente en la bruma del otoño. Esos bosques leves y esos lagos que evoqué la primera vez que vi a Gioconda y que desde entonces acompañan todas mis representaciones de ella. Uno se enamora, también, de ciertos lugares que asocia indefectiblemente al ser amado y realiza febriles paseos por ellos, en soledad, pero íntimamente acompañado.

Procuro obtener noticias acerca de la ciudad en que vive, porque temo que algún peligro imprevisto la aceche. Imagino catástrofes terribles —erupciones de volcanes, maremotos, incendios, o locuras de los hombres: las ciudades, en nuestros días, compiten en agresividad y envidia—. Mentalmente, procuro contener las aguas de los ríos que la cruzan, y aprovecho para dar un paseo con ella por los puentes, esos deliciosos, íntimos y húmedos puentes de madera que crujen bajo nuestras plantas. (La primera vez que la vi, encandilado por la belleza de su rostro, no reparé, debo confesar, en sus pies. Ah, cómo nuestra observación tiene lagunas. Sin embargo, no es imposible reconstruirlos a partir de la perfección de las otras líneas. Ya sé que no siempre se cumple, en lo humano, esta armonía. Pero precisamente, en ella, lo asombroso, es el desarrollo sereno y armónico de los rasgos, uno a uno, por lo cual, visto un fragmento, es posible imaginar la totalidad.)

No me preocupa, tampoco, el paso del tiempo. Demasiado sé que su belleza lo resistirá, dotada, como está, de un elemento de transparencia, una gracia interior que no depende de la sucesión de los otoños o del tránsito de los meses. Sólo un terrible daño provocado, la intervención de una mano asesina podría crispar esa armonía, y no temo por Giocondo: ocupado como está con sus transacciones económicas, indiferente a cualquier valor que no pueda atesorarse en arcas bien custodiadas, mantiene con ella un trato tan superficial como inofensivo. Lo cual me exonera, hasta cierto punto, de los celos.

Desde hace tiempo, me he convertido en un avaro. Hago toda clase de economías, para ahorrar el dinero que me permita realizar el viaje soñado. He dejado de fumar y de visitar la cantina, no me compro ropa y vigilo severamente la administración de la casa. Realizo yo mismo las pequeñas reparaciones necesarias en el hogar y aprovecho todas las cosas que los hombres no enamorados y disolutos desperdician, seguramente porque ya no sueñan. He estudiado minuciosamente las maneras de llegar a esa ciudad y sé que me falta poco para poder emprender el viaje. Esta ilusión llena de intensidad mis días. No intento, de ninguna manera, comunicarme con Gioconda. Con seguridad ella no reparó en mí, cuando la vi, ni hubiera reparado en hombre alguno: dominada por la pena, sus ojos miraban sin ver, contemplando, acaso, cosas que estaban en el pasado, que se encerraban en los lagos serenos donde yo no ceso de evocarla. Cuando mi mujer me interroga, contesto con frases vagas. No se trata sólo de conservar mi secreto: las cosas más profundas no resisten, casi nunca, su traducción en palabras.

Pero sé, estoy seguro de poder hallarla. Sus rasgos inconfundibles me estarán aguardando, en algún lugar de la ciudad. En cuanto a Giocondo, parece que continúa disputando con un pintor. Seguramente no ha querido pagar un cuadro o pretende desalojarlo de su taller, si aquél le debe algo. Giocondo tiene la insolencia de los ricos y el pobre pintor debe vivir de su trabajo. Mi informante asegura que el pleito dura ya cerca de tres años, y que el pintor ha jurado vengarse. ¿Qué dirá mi Gioconda, de todo esto? A pesar de la fama de interesadas que tienen las mujeres de esa ciudad, sé que ella permanece ajena a los negocios de su marido. La pérdida de su hijo es todavía reciente y no encuentra consuelo. Giocondo procura entretenerla alquilando músicos que cantan y bailan en su jardín, pero ella parece no oírlos. Lánguida Gioconda, a pesar del escote. Lamentablemente, no soy músico; de lo contrario, tal vez, tendría acceso a tu palacio. Tañería la flauta como nadie lo ha hecho hasta ahora, evocando los lagos y los bosques por donde sueles pasear, en otoño, lagos como suspendidos donde a veces levita un esquife. Compondría versos y sonatas hasta que tú, suavemente, sonrieras, casi sin querer, como una pequeña recompensa a mi tarea. Ah, esa sonrisa, Gioconda, sería un leve compromiso, la certeza de haber oído.

He llegado a la ciudad de los puentes, de los lagos circulares y los bosques llenos de bruma que se pierden en el horizonte, entre nubes calmas. He paseado por sus calles angostas y sinuosas, con sus perros lanudos y sus mercados repletos de frutas doradas y telas sedosas. Por doquier se trafica; brillan las naranjas, los peces recién arrancados al mar, zumban las ofertas de los mercaderes, ávidos compradores auscultan vasijas de oro, adquieren suntuosas joyas minuciosamente engarzadas, disputan por una pieza valiosa. Las calles están húmedas y a lo lejos se dibujan bosques vagarosos.

De inmediato, busqué quien pudiera darme informes sobre la familia Giocondo. No fue difícil: todo el mundo los conoce, en esta ciudad, aunque por una misteriosa razón, cuando los interrogaba, querían evitar el tema. He ofrecido dinero, las escasas monedas que me quedan luego del viaje, pero es una ciudad próspera, y mi fortuna, pequeña. Probé con mercaderes que con cortesía me ofrecieron telas y productos de la India; luego, con los gondoleros que trasladan a los viajeros de un lugar a otro de la ciudad, porque debo decir que uno de los placeres más vivos que se pueden disfrutar aquí es el de atravesar ciertas zonas en esas finas y delicadas embarcaciones (que ellos cuidan mucho, como si se tratara de objetos preciosos, y engalanan con muy buen gusto) que se deslizan debajo de los puentes de madera, removiendo apenas las aguas verdes. Por fin un hombre joven, a quien elegí por su aspecto humilde pero su mirada inteligente, se prestó a informarme. Me hizo una terrible revelación: el pintor a quien Giocondo había contratado y con el que disputaba desde hacía años, decidió vengarse. Ha pintado un fino bigote en los labios de Gioconda, que nadie puede borrar.

EL CORREDOR TROPIEZA

(Vio los altísimos árboles, los verdes follajes, un nido a lo lejos, ¿o era un conjunto de pequeñas ramas enlazadas?, la cúpula del cielo, las nubes deslizándose por la pista, blancas corredoras, las nubes desfilando antes de la meta, vio la luna en pleno día, la luna que silenciosamente había aparecido colocándose con modestia en un ángulo del paisaje casi imperceptible, los pájaros que volaban sin cesar, iban y volvían, en sus juegos, en sus propios torneos, vio alas oscuras cortando el aire, suntuosos desplazamientos, siguió con los ojos esas rutas imprevisibles, esos caminos; tirado en el suelo, con ojos asombrados, vio todo eso.)

Iba en la decimocuarta vuelta. Era un buen corredor: los periódicos lo daban como favorito y hasta auguraban un récord. Hacía años que esperaban un nuevo récord, siempre se esperan cosas así. Y ahora esa teoría de un físico brasileño, un loco, probablemente (pensó): la velocidad de la luz no es la misma en cada caso. «¿Qué significaría eso?», se preguntó. Los periódicos anunciaban que él estaba en condiciones de batir el récord. Entonces, ¿Einstein se había equivocado? ¿O era que la luz, como él, tenía que batir un récord? Y la gente aglomerada alrededor de la pista, en la decimoquinta vuelta, cuando llevaba ventaja, una considerable ventaja, porque él había nacido para correr, mientras el sol calentaba, ah, cómo calentaba el sol, ¿qué quería decir nacer para correr? estos pies maravillosos, el locutor decía: «La extraordinaria marcha que lleva en la decimosexta vuelta, dos terceras partes del recorrido», corredor de larga distancia, ritmo sostenido, cuando arrancó no tuvo escrúpulos de separarse del resto y dejar sentado, desde el principio, quién mandaba aquí; si pensaron que él iba a aguantarse, que no se desprendería del pelotón para economizar fuerzas y dejar la lucha —despiadada— para los últimos metros, se equivocaron: ahora corría, libre de codazos, sin nadie que le obstaculizara el camino y con toda la pista por delante, veloz como la luz, si la luz, acaso, recorre el espacio a una velocidad constante. En alguna parte —más allá de la pista oval que recorría una y otra vez, torturante como un sueño— su entrenador estaría, ansioso, mirando el reloj. ¿De modo que la velocidad de ese rayo de sol que cruzaba la pista no era constante? ¿Constante como su marcha? Vuelta número diecinueve, sólo faltaban siete más para vencer, de ese rayo de sol lanzado como un corredor anhelante; los demás se habían quedado atrás, hacía muchas vueltas los había pasado, se trataba, en cambio, de ganarle a alguien, al legendario corredor que había establecido el último récord, la marca hasta ahora definitiva, si la luz era constante. En la vigésima primera, sospechó que estaba a punto de cumplir lo prometido; a pesar del cansancio, su ritmo era excelente, atravesaba la pista a un compás regular, sus movimientos eran elásticos y leves, como los de una gacela, dijo el locutor, elegantes, como si correr no le causara ninguna dificultad. Entrevió los rostros de los espectadores confusamente, pero no había necesidad de verlos con más claridad, sólo la pista dando vueltas en el cerebro, y el entrenador tendría los ojos despiadamente clavados en el cronómetro, esta vez pasó al joven corredor de cabellos rojos y pantalón azul cuyo jadeo anhelante no presagiaba nada bueno, luego al corredor número diecisiete que iba completamente rezagado, en una vuelta muy anterior, en una que él ya había dejado atrás hacía mucho tiempo, con la mancha de sol sobre la pista. Los ojos de todos se nublaban, los ojos estaban llenos de sudor y palpitantes, ahora sólo le faltaban tres vueltas, según sus cálculos, tres vueltas para que el hombrecito del banderín como un tablero de ajedrez lo dejara caer cuando él cruzara la meta, la meta, el corte de la pista, el lazo que indica que la loca carrera ha quedado atrás y escuchó un grito, un solo grito, era su entrenador que con voz firme seguramente le anunciaba que estaba a punto de cumplir lo prometido, que iba a establecer un nuevo récord, la mejor marca del mundo en diez mil metros llanos, llanos como un plato.

Fue entonces cuando experimentó unos deseos enormes de detenerse. No era que estuviera muy cansado; se había entrenado bien y todos los expertos indicaban que sería el ganador de la prueba; en realidad, sólo había corrido con el fin de establecer un nuevo récord. Y estas ganas irresistibles de quedarse. De echarse al borde de la pista y no levantarse más. Cuidado: no está permitido tocar al corredor caído. Si se levanta por sus propios medios, puede continuar corriendo. Pero no está permitido que nadie lo ayude a ponerse en pie. Estos deseos incontenibles de sentarse al costado de la pista y elevar los ojos al cielo. Seguramente vería los árboles, pensó. Un puñado de ramas llenas de hojas que tiemblan, y en la cima, algún nido. Las hojas más pequeñas sacudiéndose al viento, a este leve viento que desplaza la velocidad de la luz ya para siempre inconstante, según el físico brasileño. «No soy nada especial, señora —le dijo la otra noche, a una admiradora algo senil—. Sólo un experto organizador del tiempo.»

El entrenador, excitado, le hizo una señal: sólo faltaba una vuelta. Una sola más. Y su velocidad no había disminuido. Pasó al lado de un corredor que jadeaba, con la mano en un costado. Ah, ese seco dolor debajo de las costillas, esa opresión que dificultaba el acto de respirar. Cuando se siente, uno está acabado y sería lo mismo que abandonara la pista. Aunque por pundonor, no se abandona. Esa molestia en el bazo, según aprendió en sus años de entrenamiento. Un órgano del que poco oímos hablar, porque sólo nos molesta cuando hemos hecho un esfuerzo extraordinario, cuando hemos corrido demasiado. Y estas ansias desconocidas e incontrolables de parar, de detenerse al borde de la pista, mirar los árboles, respirar profundamente. Las vueltas son todas iguales, se juntan en la memoria y no se sabe ya si se dio la veintitrés o la veinticuatro, la dieciséis o la diecisiete, como aquel pobre chico que creyó haber llegado a la meta y se tiró al suelo. Alguien —seguramente su entrenador, o uno de los jueces de la prueba— se acercó y, sin tocarlo, le comunicó la noticia de que aún no había llegado, de que se había equivocado en los cálculos:

todavía le quedaban tres vueltas pendientes. Y él, con los músculos agarrotados. Y él, sin poder levantarse del suelo. Y cuando lo hiciera, sería sólo para seguir corriendo, si no se desmayaba antes. A él jamás le pasaría una cosa así. Corría con naturalidad, como si ése fuera el acto más normal de la vida, como si se pudiera correr siempre. Con regularidad, pero constante, con una velocidad siempre igual a sí misma, no como la luz, que lo había traicionado y ahora parecía que se desplazaba desigualmente. Él estaba a punto de batir el récord. Y entonces, el éxtasis de dejarse caer; el divino, sublime éxtasis de detenerse, resbalar suavemente hacia el borde, el borde de la pista, a pocos metros del final, justo un poco antes de la meta; deslizarse pausadamente hacia el suelo y elevar la cabeza, ah los altos árboles, el cielo celeste, las nubes lentas, los penachos crespos de las ramas, las hojas se mueven, dirigir los ojos hacia arriba y contemplar el cadencioso vuelo de los pájaros, hay algarabía alrededor pero no la escucha, seguramente reproches, seguramente insultos, su entrenador exasperado, poder ver a los demás corredores pasar, sus pantalones cortos, algunos jadean ostensiblemente, aquél se lleva la mano al costado, ah, no terminarás, no podrás concluir, pero arriba los árboles flotan, flotan en una atmósfera irreal que nadie ve, ahora el rubio que experimenta un calambre y renquea, ¿he visto alguna otra vez a ese pájaro?, el locutor narrando el suceso increíble, como la luz, su velocidad era constante, pero tuvo deseos de detenerse. Y elevó los ojos hacia el cielo.

EL RUGIDO DE TARZÁN

Johnny Weissmuller gritó y el bosque entero (con sus insinuantes lianas y espesos follajes) pareció temblar; el vaso de whisky resbaló de la pequeña mesa de vidrio y cayó sobre la alfombra de piel de león; un lago redondo y oscuro crecido con la lluvia. Johnny gritó; un grito largo y sostenido, con sus cortezas y litorales, sus montañas de sonido, sus cuevas vegetales, sus profundidades ocultas donde vuelan los murciélagos y sus nubes ágiles que se deslizan como humo. Un grito prolongado y profundo, largo, hondo, que por el aire resbalaba de rama en rama, convocando a los pájaros azules y a los blancos elefantes; un grito que atravesaba el claroscuro de las hojas, las cicatrices de los troncos, y saltaba entre las rocas como ventisquero; ascendía las cumbres de las quietas, solemnes montañas, corría entre las piedras primarias, oscurecidas por el follaje y precipitaba los ríos estivales, de agua lenta, cristalina. No sólo el vaso cayó; también un cenicero se deslizó, un cenicero de porcelana en forma de hoja de plátano, regalo de una de sus antiguas admiradoras. Y las numerosas colillas estrujadas se desparramaron como menudos troncos quemados.

Al grito, acudían las aves de largo vuelo equinoccial, los peces pequeños que lamen el costado de las rocas, los ciervos de reales cornamentas, los cuervos de mirada alerta, los cocodrilos asomaban sus largas cabezas y los árboles parecían moverse. Era un grito triunfal, una clave sonora respetada por los grandes paquidermos, los altivos flamencos y los escurridizos moluscos. Entonces Jane levantaba la cabeza, resplandeciente y morena, tocada por el grito como por una incitación largamente esperada. Y Jane corría, Jane corría por los senderos del bosque, se abría paso entre las ramas de grandes y carnosas hojas, Jane atravesaba los húmedos corredores de la selva guiada, conducida por el grito, protegida por el grito, alentada por el grito. Los pájaros volaban detrás de ella, los leones se ocultaban, las serpientes escondían las cabezas, los grandes hipopótamos cedían paso.

No sólo el cenicero se estrelló contra el suelo: un cuadro de la habitación se estremeció, pareció golpear la pared y luego de cimbrar un momento el aire (denso de humo y de alcohol) quedó torcido, anhelante, con un ángulo en falsa escuadra. Era la copia a todo color de un viejo fotograma de la selva, de la prefabricada jungla de Toluca Lake, con sus montañas de cartón, sus baobabs de papel pintado y sus piscinas convertidas en lagos llenos de pirañas. Fuera del apartamento, los automóviles que cruzaban la avenida se detuvieron un instante, alarmados por el grito, y luego, veloces, siguieron el camino. Los elefantes sacudían sus grandes orejas como lentos abanicos, los monos cruzaban la selva por el aire, saltando de rama en rama y los pájaros, como látigos, golpeaban las hojas de los altos bananeros. En el fotograma, además, había una muchacha vestida con piel de tigre que yacía en el suelo, encadenada, los túrgidos senos asomando entre las manchas opalinas del tigre, los muslos muy blancos (muslos de alguien que toma poco sol) descubiertos por las cuidadosas rasgaduras de la falda, los labios, anchos y rojizos entreabiertos en lo que podía ser un gesto de provocativo dolor o una sensual imploración, Johnny estaba unos pasos más atrás, el ancho y musculoso torso desnudo, la nariz recta, los huesos bien formados con pequeñas y sugestivas sombras alrededor de las tetillas y de la cintura; un poco más arriba del ombligo se iniciaba una línea, un cauce torneado que el taparrabos triangular (largo entre las piernas, pero angosto en los costados, como para que asomaran las formidables líneas de los muslos) ocultaba, pero cuya trayectoria —como un río afluente— era posible adivinar.

El cuadro lo había pintado una admiradora suya, hacía muchos años, a partir de una escena de *Tarzán y las amazonas*, protagonizada por él y por Brenda Joyce; por lo que Johnny recordaba de la película, en ella había una cantidad extraordinaria de muchachas, portadoras de flechas, todas ataviadas con piel de tigre (él se había enfadado mucho cuando supo que las manchas de la tela eran fruto de una buena operación de la tintorería del estudio: los tigres escaseaban, por lo menos en Hollywood, y además, había empezado a surgir una cantidad increíble de sociedades protectoras de algo, de perros, de tigres y hasta de ballenas, lo cual volvía el arte cinematográfico muy difícil) y con sandalias de liana. En la película, él volvía a lanzar su largo, agudo y penetrante grito, un grito de selva y de montaña, de agua, madera y viento; un grito que ululaba como las sirenas de los paquebotes del Mississippi, que batía alas como los pájaros azules de Nork-Fold, que atraía a las salamandras de los pantanos de West-Palm (*al oeste de Colorado River hay un sitio que amo*) y alentaba el vuelo de las ánades de Wisconsin. Johnny gritó; gritó en la ladera del sofá forrado de piel de bisonte, y la cabeza del ciervo, en la pared, no se estremeció; volvió a gritar pensando en Maureen O'Sullivan y el grito retumbó en la habitación como una pesada piedra cayendo sobre los atolones de Leyte: la isla madrepórica reprodujo el grito en los vasos de whisky con huellas de labios y de cigarros, en las conchas del Caribe conservadas como trofeo y en cuyas cavidades todavía las notas broncas del mar fosforescente se juntaron con los agudos de su grito; Johnny gritó sobre los largos pelos de las mantas africanas que cubrían de animales aterciopelados el lecho conyugal vacío en el apartamento de California, gritó sobre las reliquias de marfil y las hojas de tabaco, un grito largo y desesperado, desencajado, el grito de un humilde recepcionista del Caesar's Palace de Las Vegas, su último empleo, y por un momento pensó que Jane acudiría, que Jane cruzaría las abigarradas calles centrales, que se abriría paso entre los resplandecientes semáforos y las carrocerías brillantes de los autos, que Jane, vestida con un abrigo de leopardo, atravesaría la avenida centellante de neón, saltaría por encima del río de cacahuetes y bolsitas de maíz, que correría entre los anuncios de *pornofilms* y de cigarrillos Buen Salvaje Americano hasta el humilde apartamento donde Edgar Burroughs acababa de beber un whisky, antes de llamar por teléfono al Hogar de Retiro de Actores, en Woodland Hills, porque un anciano llamado Johnny Weissmuller no dejaba dormir a los vecinos con sus gritos.

SESIÓN

A las cuatro de la tarde me llamó mi psicoanalista. Estaba muy angustiado: había descubierto al segundo amante de su mujer.

—¡Es inconcebible! —gritó—. No estoy dispuesto a permitirlo.

—Serénese —le aconsejé—. Los cuerpos no existen. Las personas, tampoco. En realidad, sólo se trata de funciones, ¿comprende? Nadie es quien cree ser, ni para sí mismo, ni para los demás. El segundo amante de su mujer...

—¡No me lo nombre! —gritó él, destemplado—. Desde que los he descubierto, no puedo comer. No he probado bocado en todo el día.

—Eso significa que usted no puede aceptar la realidad. La comida, en ese momento, representa la cosa rechazada...

—Ya lo sé —gimoteó, a punto de llorar.

—Nadie se muere por no comer un día o dos. La dieta le hará bien, eliminará toxinas.

—No entiendo por qué se encuentra con él precisamente los martes —me confesó ahora, más sereno.

Aproveché la pausa para tratar de introducir la realidad dentro de un vaso. Es una operación muy complicada. Desde el amanecer estaba ocupado en eso. Pero cada vez que intentaba asirla, la realidad se me escurría. Ahora, mientras hablaba por teléfono con mi psicoanalista, procuraba sostener el vaso, la realidad y el auricular al mismo tiempo.

—¿Qué sucede los martes? —articulé, mientras empujaba el vaso hacia el centro de la mesa de luz.

—Nada especial —dijo él—. Sólo que ella ve a su segundo amante ese día, y no otro. Yo me pregunto, ¿por qué precisamente el martes?

—Seguramente es el día libre de los dos —argumenté, con sencillez.

—De ninguna manera —me corrigió él—. Es un día muy complicado: él ha dictado clases de filosofía por la mañana, a las doce almorzó con sus hijos y a las seis tiene su reunión semanal en el Paraninfo. En cuanto a ella, los martes desayunamos juntos, luego practica algo de yoga, asiste a un curso de Antropología y por la noche canta en el coro de los Amigos del Barroco. Un día muy agitado. Tendría que haber elegido el sábado. El sábado yo voy a visitar a mi madre, los niños no están y él no dicta clases.

Detesto la palabra clases. Quizás por eso en ese preciso instante la realidad se escurrió patas abajo de la mesa. Mientras continuaba hablando con mi psicoanalista, traté de inclinarme para recogerla. Él debió darse cuenta de algo, porque en seguida se irritó.

—¡Pero usted no me está escuchando! —gritó, sordamente.

—Por supuesto que lo oigo —me defendí—. No se impaciente. Trataremos de analizar su sentimiento de angustia con relación a este nuevo individuo...

—¡Ni lo mencione! —insistió—. No puedo tolerar su existencia. No la acepto. No quiero saber nada de él. Ha venido a turbar mi paz. Es un intruso. Además, ¿qué dirá el primero? No entiendo por qué no ha podido conformarse con un amante solo. Por otra parte, se trata de un buen muchacho. Inteligente, formal, hasta de aspecto agradable. No tiene ningún derecho a hacerle eso. Me consta que él ignora por completo la situación. Hubiéramos podido llegar a ser amigos, aunque yo detesto la química, que es su especialidad.

—¿No era la botánica? —pregunté, cándidamente, mientras sostenía el vaso con una mano y el auricular con la otra. La realidad estaba escondida debajo de la cama. Tendría que agacharme sin que él se diera cuenta. Ni ella.

—La botánica, la química, lo mismo da. Una de esas horribles disciplinas científicas que explican el mundo por afuera. A ella le encantan las explicaciones fáciles. Se le puede seducir con la descripción de una tricotiledónea.

Dificultosamente, flexioné las rodillas.

—Para colmo —añadió— el mundo está lleno de tricotiledóneas.

—Pero según sus palabras —precisé, no era cuestión de perder terreno: ahora estaba casi arrodillado— éste es un profesor de filosofía.

—Ella cree que la filosofía es una rama de la química —comentó, amargamente—. Y ahora no me diga que ésa es una prueba de su inteligencia, porque no estoy dispuesto a aceptarlo.

—Hay demasiadas cosas que usted no está dispuesto a aceptar, amigo mío —reaccioné, con firmeza. Arrodillado, podía mirar abajo de la cama—. La cuestión es: ¿está en condiciones de no aceptar?

43

Él evitó astutamente la respuesta.

—No comprendo por qué no se ha conformado con el primero —volvió a gimotear—. Será un golpe tremendo para él. Está muy enamorado, el pobre hombre. Además, en estos momentos se encuentra trabajando en un ensayo muy complicado: la influencia de los rayos láser en la pepsina de la rana. No podrá resistir el golpe.

En el suelo, arrodillado, encontré dos colillas, una caja de fósforos vacía y un calcetín que había extraviado el día anterior. Pero la realidad continuaba escondida. El polvo la escamoteaba.

—Cabe la posibilidad de que no se entere nunca —lo consolé.

—Es verdad: los padres son los últimos en saberlo —confesó—. Pero, ¿si ellos cometieran un descuido? Pasearse juntos del brazo, por ejemplo. O coincidir en el cine.

—La gente ya no pasea del brazo —le dije—. En realidad, creo que la gente ya no pasea de ninguna manera. En cuanto al cine, es muy oscuro. Admito que existe la posibilidad de que se encuentren los tres en una sala, antes de que las luces se apaguen. Sería cuestión de escabullirse a tiempo.

—No creo que ella lo haga —me contestó—. Es una exhibicionista. Por ejemplo: le encanta ir al cine conmigo, aunque siempre cabe la posibilidad de que su amante número uno nos vea juntos. Por eso prefiero entrar cuando la película está empezada.

—La película siempre está empezada —argumenté, sutilmente. Ahora la pesco, pensé: la había visto debajo de la cama, detrás de un zapato roto.

—Detesto los principios casi tanto como los finales —me confesó—. En realidad, sólo me interesan los intermedios. Es allí donde todo adquiere profundidad. Por lo demás, en un buen principio siempre se halla incluido el final, lo cual resta sentido al desenlace. En cambio, los intermedios permiten gran variedad de desarrollos.

No era un zapato roto, o no era la realidad, porque no pude asirlos. No, por lo menos, sin soltar el auricular.

—Advierto que su voz por momentos se distancia, ¿qué está haciendo usted? —me interrogó, enérgicamente.

—Es la central telefónica —mentí—. Hay desperfectos en las líneas.

—Siempre hay desperfectos en las líneas —agregó él, proverbialmente.

—Se trata de la tensión —añadí.

—Un problema físico —argumentó.

—Imposible de controlar desde una habitación —precisé.

—Especialmente, si la habitación está cerrada y no entra luz.

—Y nadie ha abierto las ventanas.

—Porque en la luz hay algo insoportable.

—Las motas de polvo que comienzan a verse, como una invasión de partículas misteriosas y oscilantes, devoradoras.

—Ella entró por esa puerta —lloró él— ayer a la noche, y no le acompañaba el hombre de siempre, sino que era otro.

—Y usted tuvo miedo porque no lo conocía.

—Nunca me lo había presentado, antes.

—Sin embargo, su rostro le era vagamente familiar.

—Sí, vagamente familiar. El rostro de un sueño que tuve de niño.

—Y no supo qué decirle.

—Le extendí la mano. Esta mano. Luego, corrí a lavarme. Pedí disculpas. Sentí que molestaba.

—¿Cuántas veces ha molestado, antes?

—Creo que siempre. Una pequeña molestia, como un desajuste. La mano demasiado fría, o sudorosa. El tono de voz una nota más baja o más alta de la prevista. La ocurrencia, un minuto antes, o un minuto después. Y ahora ella entraba con este otro tipo.

—En la habitación a oscuras.

—No me animé a encender la luz.

—Las partículas invasoras.

—Ni a decirle: «¡Váyanse!».

—Un acto: sus consecuencias.

—Poder detenerlas.

—Negarse al acto, es negarse a las consecuencias.

—Y el otro lo comete.

—Audazmente.

—Con arrojo: odio su valor.

—Sólo existe como contraste.

—No hay personas: hay funciones.

—Y el sometimiento que hace necesaria la existencia de una autoridad.

—Del poder.

—Frente al cual sólo caben dos posibilidades: la rebelión o la esclavitud.

—Pero son intercambiables: poco a poco el perseguidor se convierte en el perseguido. Y el perseguido, en el perseguidor.

—Observación muy atinada. Ah, pero ya son las cuatro y cincuenta minutos. Su sesión ha terminado

—sentenció, como siempre, mi psicoanalista—. Lo volveré a ver mañana por la tarde. Recuerde que si por algún motivo no asiste, de todos modos mi secretaria le cobrará la sesión. Adiós.

Cuando escuché el sonido del auricular, me apresuré a buscar debajo de la cama. Me pareció verla, reptando la pared. Como una diminuta mancha de polvo más oscura.

LA NAVIDAD DE LOS LAGARTOS

Me levanté temprano y me fui a cazar lagartos. Con el palo negro que tiene una piedra en la punta. Hace nueve meses que no llueve, y si sigue sin llover, si no llueve antes de que el Niño nazca en el pesebre de la iglesia, seguramente no tendremos ni Navidad, ni Año Nuevo, ni ningún año, los años van a detenerse, los años se volverán de piedra y no pasarán. Nos quedaremos para siempre fijos en esta edad, yo no creceré y moriremos niños, sedientos y cubiertos de polvo, amarillaremos, como el campo, como las plantas, nos secaremos, como la hierba. Tampoco nacerá el Niño, aunque el camino esté lleno de lagartos que salen a calentarse al sol, a dormir bajo la modorra de la luz, en el lecho de tierra seca, tan seca que no se ve ni un mendrugo de planta, ni un retoño de árbol. Pero a mí me gusta el calor. Mi abuelo, desde el fondo del pozo seco, grita que soy una mala bestia porque estoy contento con el calor. Él se ha bajado al fondo del pozo, a esperar el agua. La lluvia que no llega, a pesar de que muchas tardes el cielo se llena de nubes grises y entre las nubes grises hay algunas que son más oscuras, tienen el lomo renegrido, y se instalan sobre el monte, sobre el monte amarillo que da lástima mirarlo. Todos pensamos entonces que va a llover, que por fin el agua caerá y las mujeres corren a poner cazos afuera, ponen ollas y miran para arriba, esperando las primeras gotas y todos pensamos que mi abuelo por fin saldrá del fondo del pozo, que ha hecho una promesa, me voy al pozo, dijo, hace ya muchos días y no saldré de allí hasta que el agua me desaloje, hasta que en el pozo el agua empiece a subir y al cruzar el aire los pájaros se reflejen.

Y la mala bestia del calor hace que los lagartos aparezcan, dejen el monte, el arroyo seco que ya nadie recuerda qué arroyo es, donde las vacas sedientas se echan, cansadas, sin nada que beber o masticar. Yo los acecho, escondido, y cuando aparecen, apunto bien hacia el centro de la cabeza, cierro uno de los ojos para no errar el tiro, vuela la piedra (con el calor, mis piedras son las únicas cosas que vuelan en medio del aire seco, como aves prehistóricas) y se estrella contra la testa parda, redonda y sin pupilas. Cada cinco lagartos que atrapo, el hombre de las pieles me da un peso. Pero no todos los días salen los lagartos. Hay que esperar que el sol caliente mucho y ellos bajen de los matorrales o salgan de los agujeros donde pasaron el invierno. Porque les gusta el calor, y cuando el sol aprieta, lentos, pesados, como si arrastraran una carcasa muy dura, avanzan entre las hierbas secas, hasta encontrar un lugar que hierve y echarse allí, a cocinarse bajo el sol.

Me levanté temprano y me fui al monte. Al pasar por el pozo, me asomé para ver al abuelo. El abuelo que sentado allí, en el fondo seco del pozo, espera que el agua llegue, y cuando pasé hice un poco de ruido con el palo, para que él supiera que yo andaba cerca, entonces él me escuchó y a los gritos —como si el pozo fuera una montaña— me preguntó cómo estaba el cielo. Para consolarlo, le dije que había anchas nubes negras. De qué lado están, preguntó el viejo, algo más quedo. Miré hacia un lado y otro el cielo despejado, liso, orlado de luz, y le dije: «Del lado del Norte. Las nubes gordas de agua están del lado del Norte». «Bien. Entonces son las verendas», dijo el abuelo, a quien le gusta bautizar las cosas.

Él espera la lluvia, y los lagartos esperan al sol. Muchos lagartos abandonan sus agujeros estos días, lentos y perezosos se deslizan por la tierra e inmensamente quietos, como si fueran de piedra, se echan a recibir el calor. Yo también los espero. Y la Virgen, espera al Niño. La Virgen que tenemos en el pueblo, es vecina mía. No siempre ha sido Virgen: ésta es la primera vez. Yo no sabía que era la Virgen, pero ayer, cuando entré a la iglesia para ver el pesebre, vi que ella era la Virgen y en seguida me arrodillé. Estaban armando el cobertizo, y José amontonaba la paja, y había una cuna vacía donde seguramente pondrán al Niño cuando nazca. Ella estaba allí, muy callada, con un vestido largo que yo no le conocía y un manto en la cabeza; ordenaba las flores y ayudaba a preparar la casa y yo la veía muy bien, a pesar de la oscuridad de la iglesia. Había gente alrededor y se escuchaba un murmullo porque con la escasez de agua todo el mundo va a la iglesia, salvo mi abuelo, que se metió en el pozo. Me pareció muy alta, más que cuando desde el fondo de mi casa la veo alzarse para arrancar una manzana o pasearse entre los girasoles. José le hablaba, pero no pude oír lo que le decía. Hacia arriba, allí donde el cobertizo termina en dos maderas en pico, había una enorme estrella con su resplandor. El manto me pareció muy bonito, aunque yo prefiero mirarla cuando va con los cabellos sueltos. Después se sentó, se sentó en el banco de madera, al lado de la cuna del niño que aún no ha llegado y se quedó inmóvil, con sus grandes ojos azules muy fijos mirando hacia adelante. Justo en ese momento se me cayó el palo que siempre llevo conmigo y tiene una piedra en la punta, de modo que tuve que inclinarme para recogerlo, y ella me miró. Yo estaba un poco avergonzado por el ruido del palo al caer, pero como me sonrió, me acerqué un poco más y le dije: «¿Cuándo nacerá el niño?» «Mañana —me respondió ella—. Mañana será el advenimiento.» Y como estaba un poco nervioso, me fui corriendo al monte, abrasado por el calor. Cuando llegué, me puse a tirarle piedras a los árboles, porque no encontré lagartos.

Hoy me desperté pensando que es el día en que el Niño llega y quizás con él llegue también un poco de lluvia. Todo el mundo irá a depositar regalos al pie de su cuna, porque no es un niño cualquiera. Y allí estará ella, esperándolo para mecerlo. De modo que bien temprano me fui al monte, a ver si algún lagarto madrugador quería salir y al salir me encontraba a mí, esperándolo con el palo que tiene una piedra en la punta, porque cuando veo que se trata de un lagarto muy somnoliento, no hay necesidad de apuntar desde lejos, me alcanza con aplastarle la cabeza con el palo. Y tuve suerte, porque no más al llegar al monte y ponerme a liar unas briznas de choclo, me di cuenta de que a lo lejos, lentos y pesados, llenos de sueño y de sol, asomaban dos grandes lagartos. Me gusta echarme al sol, de modo que esperé sin impaciencia. Ni una nube se veía en el horizonte, y las chicharras cantaban, borrachas de luz. Con el calor, el pueblo está lleno de moscas y el monte también. Zumban, azules, bordonas, y si uno se queda quieto, se le meten por los ojos y por la nariz. Pero el humo las espanta, así que yo expulsaba el de las briznas de choclo apuntando hacia ellas. Los lagartos, lentos, bajaban. El Niño tendría muchos regalos. Su venida sería celebrada, a pesar del calor, de la seca, del cielo despejado. Y a lo mejor tenía más regalos que nunca, para convencerlo de que hiciera llover. Vendrían todos los del pueblo, más los Reyes, gente de un lado y de otro, a conocer al Niño. Y ella estaría allí, muy quieta, mirando la cuna. Uno de los lagartos se echó en la pendiente, al lado de una piedra blanca de sol, y como una estatua, permaneció inmóvil. Le di un golpe seco con el palo, y apenas se sacudió. El sol me daba en la cara, pequeños rayos luminosos se me metían entre las pestañas y yo los intentaba espantar con la mano. El otro se echó no muy lejos de allí, entre unos yuyos secos. Me acerqué por atrás y apunté bien al centro de su cabeza roma. Tenía la piel caliente, como los bañistas cuando han tomado mucho sol. Con los dos en las manos, me fui del monte, acompañado por el chillido ebrio de las chicharras. Están en las ramas, cantando porque hay mucho sol, crujiendo con las piñas que se abren y largan su semilla de alas blancas, transparentes. Es difícil verlas, tan difícil como dejar de oírlas. Por el camino, encontré otros lagartos pequeños, pero no les hice caso. Anduve rápido y, cuando llegué al pueblo, me dirigí a la iglesia.

Había mucha gente en la puerta, como cada vez que hay alguna ceremonia. Pensé en mi abuelo, que estaba en el fondo del pozo, y desde allí no podía ver la mentira del cielo despejado, pero ya se habría dado cuenta, de todos modos. La gente, a la puerta de la iglesia, parecía indecisa entre entrar o seguir mirando, melancólicamente, el cielo claro, la evidencia del sol rotundo e implacable. Al fin, hartos de calor, entraban. Yo también entré, pero por la puerta más pequeña, la que está medio rota y el cura siempre pide limosna para arreglarla. La empujé despacio, porque en cualquier momento se rompe del todo. Al costado, pude ver el gran pesebre ya dispuesto, con su paja esparcida por el suelo, su luminosa estrella en lo alto, los enseres de José, que es carpintero, la cuna de madera, por fin la Virgen, con su vestido largo y su manto en la cabeza. Me acerqué despacio, sin hacer ruido, porque la iglesia, a pesar de la gente, estaba en silencio, como solemne. Había poca luz, pero del establo donde se esperaba al Niño, salía un resplandor de velas.

A los pies de la cuna, vi manzanas rojas, naranjas, grandes limones maduros, una cabra atada.

Me acerqué a la Virgen por un costado, sin que me viera. Ella miraba hacia adelante y tenía una expresión muy serena, muy compuesta, muy digna. Yo la había visto antes andar por el patio, encalar las paredes, juntar limones caídos, desplumar los pollos que servirían para el almuerzo. Entonces, yo no sabía que era la Virgen; entonces, hablábamos como vecinos, me preguntaba por el abuelo, por mi madre, yo le decía que se nos había muerto el perro.

Me acerqué y, en silencio, deposité los lagartos en su falda. Ella se sorprendió un poco, al sentir el peso. Recogió los ojos de donde los tenía (¿dónde estarían navegando como peces?) y posiblemente no me vio, en medio de la penumbra. Los volvió hacia

53

los lagartos muertos. Yo seguía quieto, apoyado contra un ángulo en la oscuridad. El Niño todavía no había nacido, pues la cuna estaba vacía. Pero ella sin duda lo estaba esperando.

—Quiero ser el Niño —dije, desde la oscuridad, hablando bajo—. Por favor —insistí—, haz que el Niño sea yo.

Los lagartos seguían en su falda, inmóviles, tan quietos como cuando en el camino se echan para recibir al sol. Nada los diferencia, cuando están dormidos, cuando están muertos.

En su falda, los lagartos eran una pequeña mancha oscura.

—Para el Niño —dijo ella, sin descubrirme aún en la oscuridad—, las ofrendas deben ser de vida, no de muerte. Perdónalos hoy, en el día del advenimiento. Nada debe estar muerto, alrededor de su cuna. Todo debe respirar, estar fresco. ¿Entiendes? Se había erguido un poco, sobre el banco de madera al pie de la cuna del Niño y con los lagartos en la mano, asidos por la cola, me buscaba en la oscuridad.

—No son para Él —respondí, rabioso—. No los he cazado para el Niño a quien todo se ofrece, sino para ti —dije, rebelde—. Puedo traerte más, todos los que quieras. Cada cinco, el hombre de las pieles paga un peso. Puedo ir al monte a cada rato, y bajar con más. Tú los guardarás hasta la noche, y cuando ya no se vea más el sol, tendrás muchos lagartos a tu alrededor, muchas pieles, las venderás al hombre que paga...

—Los homenajes de este día —dijo— son para Él. Para el recién llegado. Para el que está viniendo.

Toma tus lagartos, ofréceselos a Él, o mejor: en su nombre, perdónales la vida.

Los cogí, no tuve más remedio, y salí corriendo de la iglesia. No sé hacia adonde iba, pero por el camino pasé por el pozo, donde estaba el abuelo. Tiré los lagartos lejos y jalé la cuerda. Me deslicé hasta el fondo, donde el abuelo rumiaba, a la luz de una vela, sus maldiciones acerca de la vida. Cuando estuve en el fondo del pozo, el abuelo no se sorprendió.

—Era hora de que bajaras —me dijo él, sin sonreír—. Ponte a hacer ruido con esas latas —agregó—. A veces, así, se atrae al agua.

LA GRIETA

El hombre vaciló al subir la escalera que conducía de un andén a otro del metro, y al producirse
esta pequeña indecisión de su parte (no sabía si seguir o quedarse, si avanzar o retroceder, en realidad
tuvo la duda de si se encontraba bajando o subiendo) graves trastornos ocurrieron alrededor. La com-
pacta muchedumbre que le seguía rompió el denso
entramado —sin embargo, casual— de tiempo y espacio, desperdigándose, como una estrella que al ex-
plotar, provoca diáspora de luces y algún eclipse.
Hombres perplejos resbalaron, mujeres gritaron, niños fueron aplastados, un anciano perdió su peluca,
una dama su dentadura postiza, se desparramaron
los abalorios de un vendedor ambulante, alguien
aprovechó la ocasión para robar unas revistas del
quiosco, hubo un intento de violación, saltó un reloj
de una mano al aire y varias mujeres intercambia-
ron sin querer sus bolsos.

El hombre fue detenido, posteriormente, y acu-
sado de perturbar el orden público. Él mismo había
sufrido las consecuencias de su imprudencia, ya que,
en el tumulto, se le quebró un diente. Se pudo deter-
minar que, en el momento del incidente, el hombre
que vaciló en la escalera que conducía de un andén
a otro (a veinticinco metros de profundidad y con

luz artificial de día y de noche) era el hombre que estaba en el tercer lugar de la fila número quince, siempre y cuando se hubieran establecido lugares y filas para el ascenso y descenso de la escalera.

El interrogatorio se desarrolló una tarde fría y húmeda del mes de noviembre. El hombre solicitó que se le aclarara en qué equinoccio se encontraba, ya que, a raíz de la vacilación que había provocado el accidente, sus ideas acerca del mundo estaban en un período de incertidumbre.

—Estamos, por supuesto, en invierno —afirmó con notable desprecio el funcionario encargado de interrogarle.

—No quise ofenderlo —contestó el hombre, con humildad—. No sabe hasta qué punto le agradezco su gentil información —agregó.

—Con independencia del invierno —contemporizó el funcionario—, ¿quiere explicarme usted qué fue lo que provocó este desagradable accidente?

El hombre miró hacia un lado y otro de las verdes paredes. Al entrar al edificio, le había parecido que eran grises; pero como tantas otras cosas, se trataba de una falsa apariencia, salvo que efectivamente, en cualquier momento, volvieran a ser grises. ¿Quién podía adivinar lo que el instante futuro nos depararía?

—Verá usted —se aclaró la garganta. No vio un vaso con agua por ningún lado, y le pareció imprudente pedirlo. Quizás fuera conveniente no solicitar nada. Ni siquiera comprensión. Paredes desnudas, sin ventanas. Habitaciones rectangulares, pero estrechas.

El funcionario parecía levemente irritado. *Parecía*. Nunca había conocido a un funcionario que no lo pareciera. Como una deformación profesional, o un mal hábito de la convivencia.

—De pronto —dijo el hombre—, no supe si continuar o si quedarme. Sé perfectamente que es insólito. Es insólito tener un pensamiento de esa naturaleza al subir o bajar la escalera. O quizás, en cualquier otra actividad.

—¿En qué escalón se encontraba? —interrogó el funcionario, con frialdad profesional.

—No puedo asegurarlo —contestó el hombre, sinceramente. Quería subsanar el error—. Estoy seguro de que alguien debe saberlo. Hay gente que siempre cuenta los escalones, en uno u otro sentido. Vayan o vengan.

—Usted, ¿iba o venía?

—Fue una vacilación. Una pequeña vacilación, ¿entiende?

De pronto, al deslizar los ojos, otra vez, por la superficie verde de la pared, había descubierto un diminuto agujero, una grieta casi insignificante. No podía decir si estaba antes, la primera o la segunda vez que miró la pared, o si se había formado en ese mismo momento. Porque con seguridad hubo una época en que fue una pared completamente lisa, gris o verde, pero sin ranuras. ¿Y cómo iba a saber él cuando había ocurrido esta pequeña hendidura? De todos modos, era muy incómodo ignorar si se trataba de una grieta antigua o moderna. La miró fijamente, intentando descubrirlo.

—Repito la pregunta —insistió el funcionario, con indolente severidad. Había que proceder como si se tratara de niños, sin perder la paciencia. Eso decían los instructores. Era un sistema antiguo, pero eficaz. Las repeticiones conducen al éxito, por deterioro. Repetir es destruir—. ¿En qué escalón se encontraba usted?

Al hombre le pareció que ahora la grieta era un poco más grande, pero no sabía si se trataba de un efecto óptico o de un crecimiento real. De todos modos —se dijo—, en algún momento crece, se trata de estar atentos, o quizás, de no estarlo.

—No puedo asegurarlo —afirmó el hombre—. ¿Existen efectos ópticos en esta habitación?

El funcionario no *pareció* sorprendido. En realidad, los funcionarios casi nunca parecen sorprenderse de algo y en eso consiste parte de su función.

—No —dijo con voz neutra—. Usted, ¿iba o venía?

—Alguien debe saberlo —respondió el hombre, mirando fijamente la pared. Entonces, era posible que la grieta hubiera aumentado en ese mismo momento. Estaría creciendo sordamente, en la oscuridad del verde, como una célula maligna, cuya intención difiere de las demás.

—¿Por qué no usted? —volvió a preguntar el funcionario.

—Ocurrió en un instante —dijo el hombre, en voz alta, sin dirigirse expresamente a él. Trataba de describir el fenómeno con precisión.

Ahora el agujero en la pared parecía inofensivo, pero con seguridad era sólo un simulacro.

—Supongo que bajaba, o subía, lo mismo da. Había escalones por delante, escalones por detrás. No los veía hasta llegar al borde mismo de ellos, debido a la multitud. Eramos muchos. Vaga conciencia de formar parte de una muchedumbre. Repetía los movimientos automáticamente, como todos los días.

—¿Subía o bajaba? —repitió el funcionario, con paciencia convencional. Él sintió que se trataba de una deferencia impersonal, un deber del funcionario. No era una paciencia que le estuviera especialmente dirigida; era un hábito de la profesión y ni siquiera podía decirse que se tratara exactamente de un buen hábito.

—Se trata de una sola escalera —dijo el hombre— que sube y que baja al mismo tiempo. Todo depende de la decisión que se haya tomado previamente. Los peldaños son iguales, de cemento, color gris, a la misma distancia, unos de otros. Sufrí una pequeña vacilación. Allí, en mitad de la escalera, con toda aquella multitud por delante y por detrás, no supe si en realidad subía o bajaba. No sé, señor, si usted puede comprender lo que significa esa pequeñísima duda. Una especie de turbación. Yo subía o bajaba —en eso consistía, en parte, la vacilación— y de pronto no supe qué hacer. Mi pie derecho quedó suspendido un momento en el aire. Comprendí —con terrible lucidez— la importancia de ese gesto. No podía apoyarlo sin saber antes en qué sentido lo dirigiría. Era, pues, pertinente, resolver la incertidumbre.

La grieta, en la pared, tenía el tamaño de una moneda pequeña. Pero antes, parecía la cabeza de un alfiler. ¿O era que antes no había apreciado su dimensión verdadera? La dificultad en aprehender la realidad radica en la noción de tiempo, pensó. Si no hay continuidad, equivale a afirmar que no existe ninguna realidad, salvo el momento. El *momento*. El preciso momento en que no supo si subía o bajaba y no era posible, entonces, apoyar el pie. Por encima de la grieta ahora divisaba una línea ondulada, una delgada línea que ascendía —si miraba desde abajo— o descendía —si miraba desde arriba—. La altura en que estuviera colocado el ojo decidía, en este caso, la dirección.

—En el momento inmediatamente anterior a los hechos que usted narra —concedió el funcionario, casi con delicadeza—, ¿recuerda usted si acaso subía o bajaba la escalera?

—Es curioso que el mismo instrumento sirva tanto para subir como para bajar, siendo, en el fondo, acciones opuestas —reflexionó el hombre, en voz alta—. Los peldaños están más gastados hacia el centro, allí donde apoyamos el pie, tanto para lo uno como para lo otro. Pensé que si me afirmaba allí iba a aumentar la estría. Un minuto antes de la vacilación —continuó—, la memoria hizo una laguna. La memoria navega, hace agua. No sirvió; quedó atrapada en el subterráneo.

—Según sus antecedentes —interrumpió, enérgico, el funcionario— jamás había padecido amnesia.

—No —afirmó el hombre—. Es un recurso literario. Fue una grieta inesperada.

Ascendiendo, la línea se dirigía hacia el techo. Podía seguirla con esfuerzo, ya que no veía bien a esa distancia. Sólo una abstracción nos permitía saber, cuando nos sumergimos, si la corriente nos desliza hacia el origen o hacia la desembocadura del río, si empieza o termina.

—Un momento antes del accidente —recapituló el funcionario—, usted, ¿subía o bajaba?

—Fue sólo una pequeña vacilación. ¿Hacia arriba? ¿Hacia abajo? El pie suspendido en el aire, a punto de apoyarlo, y de pronto, *no saber*. No hay ningún dramatismo en ello, sino una especie de turbación. Apoyarlo, se convertía en un acto decisivo. Lo sostuve en el aire unos minutos. Era una posición incómoda, pero menos comprometida.

—¿Qué clase de vacilación? —preguntó de pronto el funcionario, iracundo. Estaba fastidiado, o había cambiado de táctica. La grieta tenía ramificaciones. Nadie es perfecto. No se sabía si esas ramificaciones conducían a alguna parte.

—Por las dudas, no actué —confesó el hombre—. Me pareció más oportuno esperar. Esperar a que el pie pudiera volver a desempeñarse sin turbaciones, a que la pierna no hiciera preguntas inconfesables.

—¿Qué clase de vacilación? —volvió a preguntar el funcionario, con irritación.

—De las derivativas. Clase G. Configuradas como peligrosas. No es necesario consultar el catálogo, señor —respondió, vencido, el hombre—. Una vacilación con ramificaciones. De las que vienen con familia. A partir de la cual, ya no se trata de saber si se baja o se sube la escalera: eso no importa, carece de cualquier sentido. Entonces, los hombres que vienen detrás —se suba o se baje siempre hay una multitud anterior y otra posterior— se golpean entre sí, involuntariamente, hay gente que grita, todos preguntan qué pasa, aúllan las sirenas, las paredes vibran y se agrietan, niños lloran, damas pierden botones y paraguas, los inspectores se reúnen y los funcionarios investigan la irregularidad. —La mancha se estiraba como un pez—. ¿Puede darme un cigarrillo?

LA OVEJA REBELDE

Todo sería más fácil, si la primera oveja se decidiera a saltar. Las noches son largas. El campo, muy verde. La ciudad está a oscuras.

No salta, mirando ajenamente hacia un costado. Me detengo a analizar esa mirada. Es por los ojos que comprendemos que los animales son otra cosa. Pero ella se resiste a saltar. El último café que permanece abierto, cierra a las tres. Cuando abandono el lugar, los árboles están muy quietos. Algún auto rezagado atraviesa velozmente la calle, con una libertad de la que carece de día. Nunca había pensado en las ovejas, hasta que se me ocurrió contarlas. Parecía un procedimiento sencillo. Es la quietud, el silencio y la soledad de la noche lo que me mantiene despierto. Mis pasos, que no quisiera escuchar, en la frialdad de la casa. El crujido de los peldaños, al subir la escalera, con su resonancia de madera reumática. Son los huesos, son los huesos de la ciudad los que suenan a esta hora en que todos duermen, y la oveja, la primera del grupo, se niega a saltar. Cierro los ojos. En la oscuridad de las pupilas, se dibuja el campo verde, la valla blanca, el grupo de ovejas inmóviles. Miran hacia un lado y otro, distantes, como si mirar no tuviera importancia. Entonces, trato de forzarla. Con los ojos cerrados, me concentro en el acto de ordenar a la oveja que salte la valla. No sé cómo un hombre que no está dormido pero tiene los ojos cerrados puede hacerse obedecer. Me irrito conmigo mismo. ¿Por qué esa oveja obcecada se niega a cumplir la orden? Trato de pensar en otra cosa, pero es imposible. Ahora que la he convocado, en la oscuridad de la noche, en la soledad de mis párpados cerrados, y ella ha aparecido, con su gran abrigo de lana, sus cortas orejas y su simulada pasividad, no puedo ahuyentarla simplemente. ¿Cómo hemos llegado a invertir los papeles? *Yo soy el que manda*, tengo deseos de gritar. Permanecería indiferente ante este grito, también. No me escucha. La primera del grupo no es siempre la misma. Pero hay que ser un experto para distinguir una oveja de otra, especialmente si se tienen los ojos cerrados, si en la habitación no existe ninguna luz, si la ciudad está en tinieblas, si los árboles no se mueven y el teléfono no llama. En realidad, de la primera oveja sólo puedo decir que es la primera. Nada la diferencia del resto, sólo que está frente a la valla blanca y que se supone que yo debería conseguir que saltara, para conciliar el sueño. Es muy posible que si ésta, la primera, se decidiera a saltar, las otras también lo hicieran. *Sé* que lo harían. Repetirían lo que ha hecho la anterior sin oponer ninguna resistencia, y yo podría contarlas, una a una, a medida en que atravesaran la valla pintada de blanco. Entonces, dulcemente, el sueño llegaría, envuelto en nubes y vellones, en pasto, en números de prolija sucesión. Pero la primera, intransigente, se niega a moverse del suelo. A veces se acerca a la valla, pero sólo es para arrancar alguna hierba; no eleva la cabeza, no experimenta ningún interés por lo que hay del otro lado. Por momentos creo que ella piensa que saltar es una tontería que sólo se le puede ocurrir a un hombre enfermo y cansado que no consigue conciliar el sueño. En realidad, ¿qué motivo podría llevarla a saltar? Por lo que alcanza a ver, el campo es idéntico del otro lado. El pasto es el mismo y no la estimula la posibilidad de apartarse del rebaño. «Vamos, vamos, ovejita, anímate», le digo. «¿No sientes curiosidad por lo desconocido?» Ella no me mira. En realidad, no consigo que salte, pero tampoco, que me mire. Creo que yo no existo para ella. Sin embargo, ella y su terrible resistencia son reales para mí. He de conformarme con mi ovejita rebelde. Pienso en gente cuyas ovejas saltan cada noche y deduzco que han de ser mejores pastores que yo. Mi rebaño es indiferente. No experimenta la emoción del riesgo, ni lo tienta la aventura. La valla, blanca, constituye el límite aceptado de su mundo. «¿No crees que la valla es una opresión?», le pregunto, a veces, a la primera del grupo. Ella no responde: permanece inmóvil, mirando hacia un costado, ajena a cualquier clase de inquietud. No es, por tanto, un límite. La valla no es un límite. El hecho de que mis ovejas no salten, me confiere una rara distinción. No soy, pues, el dueño de mis ovejas. No las domino en la vigilia, lo cual me impide conciliar el sueño. No hay esperanzas de dormir para mí.

—La oveja, se niega a saltar —le dije a un compañero de oficina, una noche, en casa, mientras jugábamos al ajedrez. Él me había aconsejado, para dormir, el sencillo procedimiento de contar ovejas que saltan una valla blanca. Levantó los ojos del tablero (sostenía en la mano su devastador caballo de dama) y con aire imperturbable (es un hombre al cual no se sorprende con facilidad) me dijo:

—¿Cuál de ellas?

—La primera —respondí.

Colocó su caballo de tal manera que sólo podía contribuir a mi ruina. No sé rematar las jugadas: puedo ir ganando, pero ello me precipita irremediablemente en la pérdida.

—Fuérzala —me aconsejó, drásticamente.

Sólo puedo ganar cuando juego conmigo mismo, cuando mi mano derecha es rival de mi mano izquierda.

Esa noche, exasperado por haber perdido otra vez, a pesar de mi posición favorable y de contar con una pieza de ventaja, decidí forzar a la oveja rebelde. No bien me acosté, cerré los ojos y obligué al campo a aparecer, a las ovejas a pastar. Era el campo de siempre, y el rebaño, el mismo. Una oveja, no muy distanciada del resto, pacía cerca de la valla. «Salta», ordené, imperiosamente. La oveja no se movió, no levantó la cabeza. «Salta», volví a decirle, y creo que mi voz resonó en el silencio del edificio, de la ciudad en tinieblas. «Salta, condenada», repetí. Ella no escuchaba mi grito, rumiaba alrededor de la valla, sin mirar más allá.

Entonces, me armé de un palo. No sé donde lo encontré, porque no suelo tener armas en la casa. Detesto la violencia. Blandiendo el palo, me acerqué a la oveja, a la primera del grupo. No pareció verme, y si me vio, el palo no significaba nada para ella. Lo agité en el aire, por encima de su nuca enrulada. El primer golpe, se lo di de lleno en la cabeza, entre ambas orejas, y tuve la sensación de aplastar algo mullido, seguramente la lana espesa de los aros. Entonces, lentamente, la oveja volvió sus suaves y oscuros ojos hacia mí. «Salta», le ordené, exasperado, pero al volverse, la valla quedaba a sus espaldas. Me había clavado sus ojos negros y, a pesar de mi furia, comprendí que la palabra valla no significaba nada para ella. ¿Cómo era posible que no entendiera una orden tan sencilla? «Salta», grité otra vez, y el segundo golpe incidió sobre el mismo lugar, seco, feroz. Ahora la oveja retrocedió, trastabillando, de espaldas a los maderos blancos. Habíamos quedado separados del grupo, enfrentados; las otras ovejas rumiaban, el campo era verde, más allá de la valla se extendía otro campo idéntico; ¿había algún motivo para saltar? «Salta», le dije otra vez, y al tercer golpe, un hilo de sangre comenzó a manar entre los vellones crespos. Su contemplación me excitó. La sangre se mezclaba con la lana, había filamentos de hojas y de tallos enredados en los vellones, tuve deseos de quitárselos, de acariciarla, de matarla, también. «¿Por qué no saltas, oveja del demonio?», grité; esta vez le golpeé en el lomo, en el aterciopelado, robusto lomo de oveja que algún día iba a morir no de muerte natural, pero que confiaba aún con pastar, con rumiar al lado de las otras, aunque yo no durmiera nunca, aunque el sueño me estuviera negado para siempre, y el salto, el salto, fuera el único modo de obtenerlo. En sus vellones se habían enredado abejas, hojas oscuras, diminutos tallos; la sangre, espesa y oscura, teñía un poco la lana; las demás ovejas pastaban, ella me miraba, me miraba sin comprender lo que yo quería, la valla estaba a sus espaldas, una inofensiva, simple valla blanca, fácil de saltar, si uno se lo proponía. «Puedes hacerlo, salta», grité, y volví a golpearla, otra vez sobre el lomo. Me pareció que algo crujía, pero no eran los maderos, no era la valla, y ella continuaba retrocediendo, ahora estaba a pocos pasos; para volver a golpearla yo tenía que avanzar, esto me repugnaba, ¿por qué era tan terca? Si se dignara darse cuenta, si fuera capaz de comprender lo que yo le pedía; sus patas trastabillaban, a cada golpe parecía más indefensa. «Ahora va a inclinar las extremidades», pensé, va a echarse en el suelo hasta desangrar, hasta morir, pero no va a saltar, no se elevará sobre la valla para que las otras la imiten; el palo estaba manchado, su visión me excitaba. «Así hay que tratarte», le dije, entonces lo hundí en su vientre, aproveché su inclinación para asestarle allí otro golpe, no sabía que el vientre de las ovejas era rosado, soy un hombre de ciudad, no estoy acostumbrado a mirar ovejas, a contemplarlas del lado del vientre, esa panza blanda, ah, qué mullida era, la oveja expiraba, iba a morir en cualquier momento sin saltar, asesté otro golpe allí donde ella era rosada, la carne blanda, la delicada, tierna carne de oveja que ya no irá al matadero porque no saltó, porque no supo que la valla era un obstáculo salvable; cuando hundí por última vez el palo en sus partes blandas tuve un estremecimiento, una somnolencia me invadió, era dichoso, el palo estaba quieto, muy junto a su carne, la tibia, blancuzca carne que ahora tocaba con las manos ansiosas, pero si era esta tibieza, era este suave contacto el que me traía el sueño, comprendí que iba a dormirme, que manchado de sangre, muy pegado a las entrañas destrozadas de la oveja, todavía calientes, yo me iba a dormir como un niño muy ingenuo que no ha saltado todavía la valla blanca.

SORDO COMO UNA TAPIA

Era una puerta de roble, robusta, aunque el paso del tiempo y algún mal trato se notaran en las cicatrices, en dos arrugas profundas, cerca del ojo. Quizás podría agregarse que ese único ojo, al centro, en medio de la frente, era un ojo demasiado pequeño para una puerta tan grande, pero nadie es perfecto. La habían barnizado: siempre hay gente que barniza puertas. Se podía suponer que la capa de barniz le tocó para festejar algún aniversario, que alguien, al mirarla, dijo, por ejemplo: «A esta puerta le falta una capa de barniz» (a algunas mujeres les falta un sombrero, o un lunar, o unas sandalias nuevas), que la dueña de la casa, mientras recogía los platos de la mesa comentó, mirando al marido: «Si vamos a invitar a tu familia al cumpleaños mejor empezás por barnizar la puerta», o que un sábado a la tarde, sin nada que hacer, un hombre solo, el melancólico propietario de la puerta, para entretenerse, la barnizó. Sea como sea, cuando la encontró, de la capa de barniz sólo quedaban algunos rastros, hilos de aceite que bajaban mansamente, interrumpiéndose antes de llegar al final.

La encontró a la noche, en un baldío lleno de gatos, entre cajas vacías, latas herrumbradas y botellas rotas. Alguien la había quemado con un cigarrillo (siempre hay perversos que se propasan con los débiles, especialmente si el lugar es sombrío y la débil atractiva), de modo que presentaba un estigma, un agujero en mitad del cuerpo. La suciedad y el polvo podían quitarse rápidamente con un paño, en cambio la huella de la mano salvaje que la horadó, no podía disimularse fácilmente, ni borrarse con el tiempo.

La levantó como pudo, porque estaba desmayada, sin fuerzas, y pesaba mucho. Cuando consiguió ponerla de pie, respiró profundamente. Era casi tan alta como él. Antes de ponerse a caminar, la tapó con papel de diario. Posiblemente la afeara, pero él se sentía más tranquilo.

El camino no fue fácil. Ella a veces se balanceaba, otras se caía, a él le dolía la espalda. Advirtió que muchas personas lo miraban, pero no se preocupó: de noche la gente está atenta a cualquier cosa. Cuando llegaron, optó por no usar el ascensor: la tuvo que arrastrar por la escalera, con peligro de que ambos se cayeran o despertaran a los vecinos. En el rellano, la dejó inclinarse contra la pared mientras él se tomaba un respiro. Se secó el sudor de la frente, volvió a conectar la luz de la escalera que se había apagado y sólo dio dos pitadas al cigarrillo, para no sobrecargar los pulmones, por lo menos hasta que llegaran.

Como si volvieran algo ebrios de una fiesta, se tambalearon al dar los últimos pasos y ella se inclinó sobre su espalda, mientras él buscaba la llave. Por fin, abrió.

La instaló en el suelo, cuan larga era, mientras iba a buscar un paño para limpiarle las heridas, los magullones del baldío. Limpió huellas de musgo, pica-

70

duras de insecto, arañazos de gato. Lo hizo suave y concienzudamente, sin apresurarse; por suerte, ningún daño era muy grave. Después, volvió a levantarla y la dejó apoyada contra la pared, del lado de la ventana, por donde entraba la luz de los faroles de la calle. Pensó que desde allí divisaría un panorama distinto que en el baldío; podría entretenerse con el vaivén de las hamacas (hasta el amanecer había adolescentes que fumaban hierba en la plaza), con las correrías de los perros vagabundos. Como era de noche, por la ventana podría ver el tronco oscuro de los tilos entre los haces de luz de los neones y si se estiraba un poco (y podría hacerlo en cuanto estuviera menos dolorida), hasta algunas lejanas estrellas que brillaban encima de la torre del laboratorio.

Le dio tiempo, para que descansara, mientras él hacía otras cosas. Se lavó las manos y los brazos, llenos de tierra, puso la cafetera en el fuego, sacudió el polvo de sus zapatos, encendió un cigarrillo, dio largas bocanadas, regó el helecho que ocupaba el centro de la mesa. Se sirvió el café, en una taza blanca, igual que en el bar, porque algunas cosas le gustaban que fueran como tenían que ser.

Entonces volvió a la sala, oscura, sólo iluminada por la luz de la calle que entraba por la ventana (los perfiles negros de los árboles, las hamacas sacudiéndose en el vacío, la torre erguida del laboratorio, los perros que al correr ladraban, el chasquido de los automóviles al doblar la esquina, una radio, no muy lejos, transmitiendo bailables), la miró y le habló. Se disculpó por lo duro del viaje, por haberla tapado con papel de diario (pero él era muy sensible a los orificios, no soportada, en realidad, los agujeros vacíos). En fin, quizás fuera algo sin mucha importancia. Podrían buscar otra manera de solucionarlo: quizás un parche de tela, quizás una cirugía plástica. Las demás cosas, se irían corrigiendo con el tiempo. La pintura despareja podría arreglarse con cosméticos nuevos; los vendían en todas las tiendas. Si bien las cicatrices no eran fáciles de tapar, no creía que la afectaran mucho: le conferían carácter y madurez, algo que no abunda en este mundo. En cuanto a los cigarrillos aplastados, le aseguraba que era hombre pacífico, detestaba la violencia y la casa estaba llena de ceniceros. Sólo quería, lentamente, contarle su vida.

PUNTO FINAL

Cuando nos conocimos, ella me dijo: «Te doy el punto final. Es un punto muy valioso, no lo pierdas. Consérvalo, para usarlo en el momento oportuno. Es lo mejor que puedo darte y lo hago porque me mereces confianza. Espero que no me defraudes». Durante mucho tiempo, tuve el punto final en el bolsillo. Mezclado con las monedas, las briznas de tabaco y los fósforos, se ensuciaba un poco; además, éramos tan felices que pensé que nunca habría de usarlo. Entonces compré un estuche seguro y allí lo guardé. Los días transcurrían venturosos, al abrigo de la desilusión y del tedio. Por la mañana nos despertábamos alegres, dichosos de estar juntos; cada jornada se abría como un vasto mundo desconocido, lleno de sorpresas a descubrir. Las cosas familiares dejaron de serlo, recobraron la perdida frescura, y otras, como los parques y los lagos, se volvieron acogedoras, maternales. Recorríamos las calles observando cosas que los demás no veían y los aromas, los colores, las luces, el tiempo y el espacio eran más intensos. Nuestra percepción se había agudizado, como bajo los efectos de una poderosa droga. Pero no estábamos ebrios, sino sutiles y serenos, dotados de una rara capacidad para armonizar con el mundo. Teníamos con nuestros sentidos una singular melodía que respetaba el orden del exterior, sin sujetarse a él.

Con la felicidad, olvidé el estuche, o lo perdí, inadvertidamente. No puedo saberlo. Ahora que la dicha terminó, no encuentro el punto final por ningún lado. Esto crea conflictos y rencores suplementarios. «¿Dónde lo guardaste? —me pregunta ella, indignada—. ¿Qué esperas para usarlo? No demores más, de lo contrario, todo lo anterior perderá belleza y sentido.» Busco en los armarios, en los abrigos, en los cajones, en el forro de los sillones, debajo de la mesa y de la cama. Pero el punto no está; tampoco el estuche. Mi búsqueda se ha vuelto tensa, obsesiva. Es posible que lo haya extraviado en alguno de nuestros momentos felices. No está en la sala, ni en el dormitorio, ni en la chimenea. ¿El gato se lo habrá comido?

Su ausencia aumenta nuestra desdicha de manera dolorosa. En tanto el punto no aparezca, estamos encadenados el uno al otro, y esos eslabones están hechos de rencor, apatía, vergüenza y odio. Debemos conformarnos con seguir así, desechando la posibilidad de una nueva vida. Nuestras noches son penosas, compartiendo la misma habitación, donde el resquemor tiene la estatura de una pared y asfixia, como un vapor malsano. Tiñe los muebles, los armarios, los libros dispersos por el suelo. Discutimos por cualquier cosa, aunque los dos sabemos que, en el fondo, se trata de la desaparición del punto, de la cual ella me responsabiliza. Creo que a veces sospecha que en realidad lo tengo, escondido, para vengarme de ella. «No debí confiar en ti —se reprocha—. Debí imaginar que me traicionarías.»

Era un estuche de plata, largo, de los que antiguamente se usaban para guardar rapé. Lo compré en un mercado de artículos viejos. Me pareció el lugar más adecuado para guardarlo. El punto estaba allí, redondo, minúsculo, bien acomodado. Pero pasaron tantos años. Es posible que se extraviara durante una mudanza, o quizás alguien lo robó, pensando que era valioso.

Luego de buscarlo en vano casi todo el día, me voy de casa, para no encontrar su mirada de reproche, su voz de odio. Toda nuestra felicidad anterior ha desaparecido, y sería inútil pensar que volverá. Pero tampoco podemos separarnos. Ese punto huidizo nos liga, nos ata, nos llena de rencor y de fastidio, va devorando uno a uno los días anteriores, los que fueron hermosos.

Sólo espero que en algún momento aparezca, por azar, extraviado en un bolsillo, confundido con otros objetos. Entonces será un gordo, enlutado, sucio y polvoriento punto final, a destiempo, como el que colocan los escritores noveles.

EL VIAJE INCONCLUSO

Cuando comprendemos que se trata de un viaje sin retorno y sin arribo, se produce una gran confusión. Se oyen lamentos, súplicas, preguntas sin respuesta, aglomeraciones en la borda, conatos de pelea. Se busca afanosamente un culpable; aunque en justicia sería difícil encontrar uno, todos están dispuestos a exigir pocas pruebas; la sospecha puede alcanzar. Pero los acusados tienen coartadas suficientes, aun para los espíritus más inclinados a la venganza. El médico asegura que fue contratado para curar los resfríos de la época de tormenta; los saltimbanquis —viajamos en medio de una compañía de circo ambulante— lloran: si por lo menos con unas cuerdas o unos trapecios se pudiera cruzar el mar. La actriz se impacienta, no muy convencida del papel que le toca desempeñar en esta ocasión; a ratos llora, a ratos ríe, y lamenta la falta de un director que dé órdenes precisas. Sin embargo, no hay esperanza: tarde comprendemos que nos hemos embarcado en una nave sin rumbo, que jamás llegará a ningún puerto. Los alimentos son escasos y de noche el mar arrecia. Algunos optan por arrojarse al agua: prefieren adelantar un destino riguroso que no perdonará a nadie. Se agotaron las pastillas para el sueño y los más ingeniosos proponen diversos planes de suicidio. En medio de la depresión general y de la confusión, alguien ha decidido hacer de capitán (también muy tarde comprobamos que viajábamos sin tripulación). Se ha subido a una tarima, en la borda. Ha pedido silencio. Sólo las olas no callaron. Entonces, dijo:

—¡Compañeros!

(Hubo un estremecimiento a bordo. Por diversos motivos, que no vienen al caso relatar ahora, la palabra provocaba escalofríos en dos clases diferentes de personas.)

—Compañeros, —repitió esta vez con menor énfasis. (¿Sería un estudiante de ciencias políticas o un mero aficionado?, me pregunté.)

—Lo que nos sucede...

(Murmullos alrededor. No todo el mundo estaba dispuesto a admitir que nos sucedía algo. Eran los que pretendían ignorar la situación y nos sugerían que debíamos continuar como si tal cosa. Para ello, habían organizado un torneo de canasta; una exposición de cuadros, confeccionados con algas y con conchas —nada original, por otra parte—, un juego de adivinanzas con prendas y un bingo múltiple.)

—...no debe ser motivo...

(Los murmullos continuaban. Si había un motivo, y alguien lo conocía, era necesario comunicarlo. Se escucharon gritos de hurra, inmerecidos, como se verá, y otras exclamaciones que chocaron contra el costado de la nave, muy mojado, por lo demás.)

—No debe ser motivo de desesperación.

(Esta pausa fue silenciosa y hasta la actriz la respetó.)

—Es verdad que viajamos en un barco sin rumbo.

(Mucha gente no estaba de acuerdo con esta sinceridad. Era algo que no se le pedía a un político o a un capitán, a nadie que ejerciera alguna clase de autoridad.)

—Pero no debemos desanimarnos.

(Esto era un poco mejor: ¿Por qué íbamos a desanimarnos?)

—De ninguna manera. No. Yo digo que no.

(Siempre es muy valiente quien se anima a decir públicamente no a algo. También quien se anima a decir que sí.)

Que alguien dijera no, pareció reconfortar a muchos.

—¡No!

(Algunos débiles noes se escucharon entre el público reunido a bordo.)

El mar rompía, ahora con suavidad, muy cerca de nosotros.

—¿A quién beneficia que nos desesperemos, eh? —gritó el hombre, ahora un poco más fuerte. (La frase pareció muy efectiva. Nadie quiere que otro se beneficie con algo que le corresponde, así sea una tragedia. La tragedia debe ser de cada uno, y sus dividendos, también.)

—Yo creo que *ellos* esperan que nosotros nos desesperemos.

Por si era cierto, mucha gente miró hacia atrás, como si seres invisibles estuvieran esperando nuestra consunción. Esto influyó para que los demás creyeran que si efectivamente algunos volvían la cabeza, seguramente había beneficiarios agazapados a nuestras espaldas. Además el hecho de saber que no estábamos solos, que *ellos* nos vigilaban, disminuía nuestra soledad y nos hacía más responsables.

De común acuerdo (aunque un acuerdo silencioso) se decidió que *ellos* estaban atrás, o sea, cerca del mascarón de proa; desde entonces, ese lado del barco se convirtió en una especie de zona contaminada; por propia estimación, por amor propio, por honor, nadie osó acercarse, aunque le dirigíamos muchas miradas despectivas y llenas de odio.

—Si *ellos* quieren que nos desesperemos —insistió el hombre, entusiasmado—, ¿qué debemos hacer nosotros?

La pregunta, como cualquier pregunta, causó mucho efecto. La gente se miró entre sí, repitiéndola en voz alta, o con los ojos. Nadie sabía quién era el encargado de contestarla, pero la transmitió a aquel que tuviera más cerca. ¿Qué debemos hacer nosotros?, se decían, y más que una pregunta, parecía una confirmación. ¿Qué debemos hacer nosotros?, le dijo el domador de leones al médico. ¿Qué debemos hacer nosotros?, dijo el empleado de banco a la actriz. ¿Qué debemos hacer nosotros?, repitió la enfermera, hablando con un trapecista.

—¡No desesperarnos! —contestó el orador, con los ojos brillantes.

Su ingeniosa respuesta también fue repetida a coro. ¡No desesperarnos! ¡No desesperarnos!, nos decíamos los unos a los otros. Alguien escuchó a una ola decírselo a otra. El mar nos apoyaba: era nuestro mejor aliado.

Nadie se iba a desesperar, y si eso sucedía, en algún descuido, nadie iba a reconocer que se trataba de desesperación. De esa manera, *ellos* no obtendrían su beneficio. Esto precipitó una serie de actividades a bordo, que hasta entonces —antes de saber que no debíamos desesperarnos— se habían descuidado. Algunos se ofrecieron para limpiar la cubierta;

otros, formaron una cuadrilla para repartir los víveres y el agua; un principio de organización nos puso en movimiento. Esto pareció ser del agrado del orador, quien contemplaba complacido cómo los demás cumplían las funciones necesarias para mantener una apariencia de orden. La actriz dijo que amenizaría las noches —las largas noches en cubierta— con interpretaciones gratuitas de sus personajes favoritos. Los trapecistas montaron una pequeña carpa y se dedicaron a hacer ejercicios, contemplados con alborozo por los viajeros. El médico curó un resfrío, considerado rebelde. Fue entonces cuando el orador creyó oportuno volver a tomar la palabra.

—¡Señores! —dijo, y se suponía que el llamado incluía también a las señoras.

—Señores —ya nos habíamos acostumbrado a las repeticiones, y es seguro que si no se produjeran, las echaríamos de menos.

—...Es hora...

Algunos apresurados miraron sus relojes. No estaban acostumbrados todavía a las metáforas de épocas de incertidumbre. Para ser precisos, se trataba de las doce de la noche. Por nuestra corta experiencia de tripulantes sabíamos que ese momento coincidía con cierta irritación general. Aunque siempre quedaba el recurso de volver la cabeza hacia la zona contaminada, tan próxima al mascarón de proa, y lanzar miradas de odio, algunos se sentían deprimidos o angustiados. Con seguridad, como dijo nuestro orador, se trataba de la presencia oscura del mar, del golpeteo simétrico de las olas, o de la neurosis de navegante, enfermedad que solían padecer los marineros.

—Es hora de que tengamos un escalafón.

A nadie se le había ocurrido antes, pero a muchos les pareció bonito. La ventaja del escalafón era que ocupaba poco espacio, no entorpecía las maniobras y los giros de los trapecistas y además nos entretenía. Pasamos mucho tiempo componiendo escalafones. El cargo de capitán correspondía sin duda al orador; sobre esto, no había ninguna disputa. Pero los rangos subalternos provocaron muchos debates. Pasamos cinco días en el asunto del escalafón; entre tanto, la comida disminuyó, el barco escoraba peligrosamente y algunos creyeron ver un grupo de tiburones que nos seguía de cerca.

Cuando el escalafón fue aprobado, casi por unanimidad, la moral mejoró mucho. A ello contribuyó una sabia iniciativa del capitán: propuso que la banda de músicos interpretara nuestros temas favoritos. Todos sabíamos que había una banda en la nave, pero con las preocupaciones de nuestra suerte no se nos ocurrió exigirles que cumplieran sus funciones. ¿No viajaban gratis para alegrar a los pasajeros?

El orador ordenó que se vistieran de gala; no sé si fue una ocurrencia propia o recordaba vagamente el naufragio del Titanic. Sea como sea, ellos no tuvieron más remedio que hacerlo.

Nos preparamos como para una ceremonia. Nos ataviamos con nuestros mejores vestidos. Un equipo de voluntarios colgó guirnaldas de los palos y se agitaban banderas. Todas las banderas eran iguales, porque estaban hechas de una falda que la actriz, en un acto de generosidad inesperado, ofreció. Las bandas siempre me ponen triste, quizás porque recuerdo la del regimiento de mi pueblo, los domingos a la mañana, en el quiosco del parque, bajo el sol ardiente, interpretando el himno y ejecutando —literalmente— un pasacalle de Beethoven. Los uniformes estaban raídos, los instrumentos abollados y desafinaban ostensiblemente, pero eso no le importaba a nadie, porque a fuerza de oír siempre lo mismo, la gente se había acostumbrado. Esta vez ocurrió algo semejante. Fuera por temor al desenlace que aguardábamos —sin desesperación, eso sí: estaba prohibida—, fuera porque los instrumentos se habían mojado —¿he dicho que a veces la nave sin rumbo escoraba?—, «Té para dos», «Dominó» y «Así pasan los años», las composiciones que oímos esa noche, sonaron mal. Es verdad que el violinista obeso hizo todo lo posible por no llorar, mientras sostenía el arco; que el trompetista se esforzó por ahuyentar con sus notas el perfil de los tiburones próximos y que los pasajeros, esa noche, en medio de las tinieblas, bajo la escasa luz de las lámparas de a bordo bailaron incansablemente, como maniquíes mecánicos. Las parejas se intercambiaban, tratando de crear una sensación de fraternidad, como si se tratara de una fiesta en el jardín de una casa suntuosa; alguien trató de disipar el miedo que nos daba el agua que surgía de las cabinas, diciendo que eran como los surtidores de un patio árabe. Nadie cesó de bailar cuando una ola más grande que otra —pero no más ruidosa— empujó a la primera pareja hacia el fondo del mar, sin un grito. El espacio que dejaron vacío fue ocupado rápidamente por otra. El payaso propuso jugar a la gallina ciega, cuando las luces súbitamente se apagaron. Aceptamos inmediatamente. El propio payaso se ofreció a presidir el juego, de modo que no vimos cuando cayó al agua.

En la oscuridad, el ruido del mar nos atraía con su enorme boca. El capitán, comprendiendo el peligro que corríamos, subió rápidamente a la tarima.

—¡A danzar, a danzar! —gritaba vehementemente, y la gente lo obedecía, como fascinada. (Sólo observé en la vida otra fascinación igual: la que producía Louis Armstrong interpretando la *Suite Loraine*.)

Un golpe de agua se llevó a varios bailarines. *Sometimes I love*, cantaba el músico de la banda. El violinista ejecutó unas variaciones muy interesantes, y esta vez tuve que reconocer que había acertado. Era una pena no tener piano. Yo lo habría acompañado. A veces una nota era tan fina que parecía cortar el agua. Pensamos que si *ellos* todavía nos observaban, podían sacar una bella foto (con flash, a causa de la oscuridad), para registrar el momento: el cantante en medio de la tempestad, interpretando la estrofa «If you go to Chicago, 66 Street», las parejas bailando, el capitán subido al estrado, justo antes de que el barco se escorara definitivamente, en un estrepitoso y exagerado ángulo.

CARTAS

Recibo muchísimas cartas y lamento no poder contestar la mayoría de ellas, ya que no tengo domicilio fijo, ni máquina de escribir (cada vez se usa menos escribir a mano). De todos modos, es muy frecuente que las cartas no me lleguen, o se pierdan por ahí, y estoy seguro de que si el cartero me conociera me las entregaría. No me importa si otro recibe las cartas destinadas a mí o si alguien las lee en mi lugar; me alcanza con saber que mucha gente me escribe, sin siquiera saber donde estoy.

No pretendo modificar el orden de las cosas ni el funcionamiento de la administración pública (orden que seguramente cuesta mucho esfuerzo mantener y funcionamiento que sin lugar a dudas es el adecuado, aunque sólo sea para un par de personas), ni fue mi intención provocar un conflicto cuando le pregunté a un cartero que encontré en la calle si tenía alguna carta para mí. Como no tengo domicilio fijo no podía saber si se trataba del cartero de mi distrito, cosa que muy correctamente le expuse, cuando me preguntó a cuál pertenecía yo. No creo, tampoco (aunque desconozco las disposiciones al respecto), que las cartas que estén dirigidas a mí puedan retenerse por el hecho de carecer de domicilio o de distrito. Salvo que se piense —y quizás el cartero, en su costumbre, lo hizo— que primero es necesario establecerse en una casa para recibir cartas. Un hombre, en su soledad, puede enviar un mensaje en una botella que treinta años después un barco recogerá. (Lo leí una vez en un diario. Fue durante la segunda guerra mundial. Un hombre, que prestaba servicio en un buque, en alta mar, le escribió un mensaje a su mujer y lo encerró en una botella, que lanzó al agua. Treinta años después un marinero lo recogió —cerca de una isla del Pacífico— y tuvo la gentileza de enviarlo por correo a su destinataria. El mensaje había flotado en las aguas, con su código de amor, encerrado en la botella como una mariposa en la vitrina. Indeleble y extraviado, pez que ha perdido el rumbo. El diario no aportaba otros detalles.)

«No se escriben cartas cuando se ignora a qué dirección han de enviarse», me contestó el cartero, en su simpleza. Le demostré su error: en realidad, las mejores cartas del mundo han sido escritas sin enviarse nunca, aunque el destinatario tuviera domicilio fijo y hasta un buzón propio. Pero al interrogarlo no me refería a las mejores cartas, sino a las que la gente me escribe, mete en un sobre, sella y envía.

«Reclame en la administración —me dijo el cartero, fastidiado—. Declare en qué lugar y fecha le fueron expedidas y quién se las envió.» Le dije que no podía saber quién las había escrito ni de dónde venían, dado que nunca las recibí; sólo en el caso de que un cartero efectivamente me las hubiera entregado, yo podría saber de qué cartas se trataba, con lo cual, no habría ninguna razón para reclamarlas en la administración, ni, por lo tanto, declarar su procedencia y origen. No me parecía honesto, en cambio, que la administración se negara a buscar mis cartas sólo por el hecho de que yo no supiera quién me las enviaba. «Si no sabe quién las remitió, ni de qué lugar proceden, las cartas no existen», declaró el funcionario, tajante.

Me pareció completamente injusto que alguien pudiera decretar la inexistencia de mis cartas sólo porque yo no las había recibido aún, a pesar de mi firme voluntad de leerlas y del tesón que ponía en encontrarlas. «¿Qué se hace, entonces, con las cartas que no existen?», le pregunté a aquel buen hombre. «Depende —contestó, dubitativo—. Si como es su deber, el remitente ha colocado sus señas en el sobre, la carta le es devuelta. De lo contrario, se concede un tiempo de espera.» Me pareció muy curioso que una carta que no existe fuera enviada a su lugar de origen, y no al destinatario, como sería lo oportuno; máxime si se tiene en cuenta que quien la envió, lo hizo a una persona, no a un lugar, siendo el sujeto lo fundamental, y el domicilio, lo transitivo. Podemos imaginar una carta escrita a un viajero, a un hombre que se desplaza en el espacio y en el tiempo, pero a nadie se le ocurre escribir una carta a una casa, porque las paredes escuchan, pero no leen. En cuanto a las cartas que no existen pero se les concede un tiempo de espera, ¿cuál es el objetivo de esa expectativa? ¿Qué aguardan las cartas inexistentes? «Es un trámite burocrático. Si nadie las reclama en el plazo de seis meses —respondió el hombre, con desgano—, ni se conoce el domicilio del remitente, se archivan en el sótano de la oficina central.» «¿Cómo puedo saber cuándo debo ir a reclamar una carta?», le pregunté entonces, con humildad. (Frente a la administración, conviene siempre la mesura.) «*No* debe ir a reclamarlas —me contestó el cartero, como si yo no hubiera entendido la parte más importante de su discurso—. Están ahí para ser almacenadas. Sabemos de qué país vienen, en qué distrito fueron colocadas, a qué horas se las selló y conocemos el nombre del destinatario, aunque ya no viva en ese lugar, la dirección sea falsa o esté equivocada. Procedemos, entonces, a clasificarlas por su origen y la fecha en que fueron expedidas. Las ordenamos por ciudades, por meses, por semanas, días y horas. Una vez transcurrido el período de espera prescrito por la ordenanza (y que nunca es mayor de seis meses), las bajamos a los sótanos, donde son sometidas a otra clasificación más severa. De ésta, nada puedo decirle, porque es confidencial. Sólo la conoce el director y el responsable del archivo. Nadie más. Como comprende, se trata de un procedimiento de absoluta seguridad. En esos almacenes, una carta no se pierde nunca.»

Recibo muchas cartas y lamento no contestar la mayoría de ellas, ya que no tengo domicilio fijo, ni máquina de escribir. De todos modos, es muy frecuente que las cartas no me lleguen, pero yo sé que hay gente que las escribe y siempre es posible leerlas en las alas de los pájaros, o en el fondo de una botella, o en la arena húmeda del mar.

BANDERAS

Por cada hombre muerto, se regala una bandera. La ceremonia es sencilla y se desarrolla siempre de la misma forma, en la intimidad de la familia y sin curiosos que interfieran. Primero llegan dos oficiales que comunican la triste noticia a los deudos; luego, comienzan los preparativos para la entrega de la bandera. Hay que hacer notar que la presencia de los oficiales tiene un efecto moderador sobre el dolor de las familias que, por sobriedad, contienen sus manifestaciones de pesar. Algo en los uniformes, en los gestos medidos y protocolares impone límites a los sentimientos exasperados: se llora con más recato. Para desplegar la bandera, se prefieren las superficies chatas, como la mesa del living, por ejemplo. Con mucha solemnidad, en medio del silencio general (sólo se escuchan los sollozos ahogados de alguna mujer), uno de los oficiales procede a extenderla con mucho cuidado, procurando que no se formen pliegues. La bandera se desenvuelve sobre la mesa como si fuera el tapiz, antes de la celebración de la misa. Una vez ha quedado extendida, el otro oficial dirige algunas palabras —sobrias, contenidas— al público reunido. Se habla de valentía, honorabilidad y servicio a la patria. Cuando termina, se hace un minuto de silencio. Luego, el mismo oficial, procede a enrollar la bandera. Podríamos decir que éste es el momento más emotivo de toda la ceremonia. Muchas familias no pueden contener el llanto, las quejas crispadas. La bandera se pliega así: primero, se dobla por uno de los extremos, de modo que forme un pequeño triángulo, luego el triángulo se dobla sobre sí mismo y así sucesivamente, hasta terminar con la bandera. Cuando ésta se ha reducido a un cuadrado, en virtud de la propiedad geométrica de la adición de dos triángulos equiláteros iguales, uno de los oficiales (no el que la enrolló) procede a depositarla en manos de uno de los miembros de la familia, que la recibe con gran emoción. Puede decirse entonces que la ceremonia ha concluido, y los oficiales, haciendo el saludo de rigor, se retiran.

Si bien la bandera así doblada no pesa mucho, en cambio se ha advertido que es algo incómoda de llevar. El miembro de la familia que la ha recibido suele no saber qué hacer con ella. Colocada debajo del brazo, a la altura de la axila derecha o izquierda, si bien permite disponer de las extremidades con libertad, en cambio produce mucho calor, especialmente en los días de verano. Si se la sostiene entre las manos, obstaculiza otras tareas, necesarias para la continuidad de la vida, como gesticular, por ejemplo. También es difícil encontrarle un lugar en la casa. Sería irrespetuoso —dado que de alguna manera la bandera *es* el padre o el hijo muerto— colgarla de la pared del living, donde adquiriría un carácter decorativo no siempre a tono con los demás ornamentos. Usada como sábana tiene el inconveniente de no ajustarse exactamente a las dimensiones de las camas normales, y el frío, además, se cuela por los costados. Y nadie comería a gusto encima de los colores que representan al noble soldado muerto. Hay madres que la colocan encima del tocador, pero se llena de polvo y atrae a las polillas. Lo más adecuado parece ser guardarla en una bolsa de nylon en el cajón de la ropa en desuso. Se ha visto, con todo, hombres por las avenidas transitando con su bandera arrollada debajo del brazo, como el periódico de la tarde.

El creciente consumo de banderas ha dado lugar a una floreciente industria. Multitud de mujeres desocupadas se dedican, ahora, con todo esmero, a la confección de pabellones patrios, para cubrir las necesidades del ejército, la aviación, la marina, la infantería, el cuerpo de paracaidistas, las brigadas especiales, los lanza-llamas, el servicio de expedicionarios y los selectos equipos de bombarderos. De este modo, la población del país se ha dividido en dos grandes categorías: aquellas personas dedicadas a la confección de banderas y aquellas destinadas a recibirlas. Pero no son dos sectores separados entre sí. Muchas veces una mujer que se encontraba cosiendo a máquina las tres franjas de color que componen nuestra bandera, fue interrumpida por dos oficiales que cumplían el penoso deber de entregarle una, no cosida por ella.

Como menudas diferencias se advierten en la confección de una bandera y otra (el espesor del hilo, el ancho de la banda de separación entre un color y otro, el tamaño de las puntadas, la costura de los bordes), se ha desarrollado entre las gentes una curiosa afición: coleccionar piezas raras. Las familias estudian entre sí las características de sus numerosas banderas y se dedican a buscar aquellas que se distinguen por alguna peculiaridad, desdeñando las fabricadas en serie. Un pequeño mercado negro de banderas se ha iniciado, al margen de la entrega oficial. Pero este tráfico indecente no afecta a la mayoría de las familias del país, que con todo esmero continúan fabricando banderas. Todo lo cual revela el alto grado de patriotismo del que gozamos en la actualidad.

LAS AVENIDAS DE LA LENGUA

Nunca decía simplemente «subí» o «bajé», sino *subí arriba* y *bajé abajo*. Esta particularidad de su lenguaje me pareció muy reveladora. No hay sintaxis inocente. Con seguridad, quería reforzar la idea del verbo, porque *subir* le parecía muy inquietante: el espacio infinito se abre, lleno de misterio y de peligros desconocidos. En cuanto a bajar (bajar sólo, sin otra palabra que acompañe) resulta igualmente estremecedor: nunca se sabe cuándo el descenso se detendrá, ni a los abismos que seremos conducidos. De este terror surge la necesidad de decir *bajé abajo*: ponemos un fin a la acción de bajar, la detenemos en alguna parte. ¿Se imaginan ustedes lo que sería descender continuamente, sin límites? Tan estremecedor como subir indefinidamente. De todos modos, me pareció descubrir cierta diferencia entre *arriba* y *abajo*. *Subir arriba* refuerza la dirección del verbo, ya que, en estricto sentido, sólo se puede subir hacia ese lado; ahora bien, quizás, existe un lugar imaginario al cual denominamos «*arriba*» y es hacia allí que hemos ascendido. Una simple hoja arrastrada por el viento no es capaz de subir *arriba*; no es lo mismo que si nosotros subimos. Nosotros casi siempre subimos mucho: subimos a lo alto de los edificios, subimos a los rascacielos, a los aviones, a las montañas y hasta hemos subido a la luna.

Un día, la misma persona me dijo: «He subido arriba y no te encontré». Esta frase me hizo reflexionar bastante. En efecto, yo tenía un pequeño taller en la parte superior del edificio; era una habitación opaca, pintada de gris por algún inquilino anterior; estaba llena de muebles viejos y solía deprimirme, de modo que permanecía poco tiempo en ella. Mi desconcierto inicial se debió a que él había empleado un tiempo compuesto. ¿Por qué no dijo, simplemente: «Subí arriba y no te encontré»? Comprendí que quería castigarme, con ello. En realidad, al decir: «He subido arriba y no te encontré», prolongaba hasta el presente la acción de subir y no hallarme; yo seguía sin estar en mi taller, él continuaba subiendo y se encontraba con la habitación vacía; mi falta (no estar) era una falta constante. Si hubiera dicho: «Subí arriba y no te encontré», la acción habría transcurrido en el pasado, yo podría sentirme libre de mi culpa; ahora, en cambio, el acto flotaba, se prolongaba; era como si todavía él estuviera subiendo y yo no hubiera llegado, no hubiera llegado nunca. Yo lo veía subir una y otra vez; en alguna de esas ocasiones, el ascensor no llegaba hasta abajo; cuando estaba en la segunda planta, él volvía a subir; otras veces, en cambio, subía y bajaba incesantemente, pero lo hiciera como lo hiciera, jamás yo me encontraba allí. El ascensor crujía, la puerta chirriaba, él oprimía el timbre de mi estudio, nadie contestaba, entonces retrocedía, bajaba, antes de llegar al rellano volvía a subir, otra vez llegaba hasta mi estudio, y yo no estaba. Me pareció que no iba a poder dejar de pensar en esto, que la situación se iba a prolongar indefinidamente, si él no modificaba la frase que había pronunciado. Me pareció que en mi mente —mientras tomábamos café en la esquina del taller y las bolas del *flipper* repicaban, reflejándose en el espejo con una inscripción de cerveza— iba a seguir subiendo y bajando, aunque ahora el pocillo humeara ante nosotros, encendiéramos cigarrillos y el vaho empañara los vidrios. (Es invierno y afuera hace frío.) Y si bien yo no había llegado aún al taller y él continuaba subiendo, podía reprocharme ahora, en el café, mi ausencia de la habitación. Pensé —para aliviar mi angustia— que todavía peor hubiera sido que él dijera, por ejemplo: «He subido arriba y no te he encontrado», porque eso querría decir que yo no estaba tampoco en el café de mármoles grises y espejos dorados, con palmeras artificiales y delicadas tazas de porcelana. Con esa frase, me habría hecho desaparecer de aquel lugar; toda mi persona no hubiera alcanzado para llenar esa ausencia. Yo no sabía si él había evitado esta frase para ahorrarme algún dolor, una sensación de irrealidad penosa, pero, de todos modos, se lo agradecí interiormente.

«No estaba en el taller; subí y bajé casi en seguida —le dije, con mucha precisión—, porque no tenía deseos de trabajar. Di una vuelta por las calles. Pero tampoco tenía ganas de caminar: estaba como somnolienta. La clase de lejanía que nos protege de la angustia.» Mi frase ponía orden: los actos realizados, estaban acabados; yo había subido una vez, bajado otra, caminado sin rumbo por las calles y luego había entrado al café, buscando una mesa libre, me había sentado y encendido un cigarrillo. Entonces, él llegó.

—Me preocupé un poco al no hallarte —dijo, aceptando la tregua del lenguaje—. Me quedé en el rellano, fumando. Después salí a la calle; pensé que estabas caminando.

Caminaba. Me sentía bien con el lenguaje. Caminaba; iba y venía sin rumbo fijo por las avenidas que se encendían lentamente y, si bien supuse que todo andar conduce a alguna parte, el mío sólo me conducía al interior de las palabras, donde me siento segura.

INSTRUCCIONES PARA BAJAR DE LA CAMA

Cuando me dispongo a bajar de la cama, hay que tener mucho cuidado. No se puede dejar a los niños o a los perros sueltos, y los muebles tienen que estar en orden, porque bajar es muy peligroso. Es preciso despejar bien el lugar, quitar lámparas, armarios, mesas y todos esos objetos inútiles que se colocan en las casas, para huir del vacío. Por eso, aviso con mucho tiempo. Digo, por ejemplo: «Mañana voy a bajar de la cama, tengan cuidado. Bajaré a las nueve y cinco minutos. Consulten los relojes, sujeten los muebles, abróchense los cinturones». Siempre elijo una hora con cinco minutos de más, porque nadie es capaz de ser puntual si no tiene cinco minutos de tolerancia.

Me preparo bien, para bajar. Desde el día antes estoy ocupado con todas esas minuciosas tareas que son imprescindibles para un buen descenso. En primer lugar, hago colocar un cartel en la puerta, para que nadie me moleste. El cartel anuncia con exactitud el día y la hora en que descenderé, y ruega que nadie me moleste, porque podría turbar mis planes, interrumpir mis preparativos. Tengo que estar muy concentrado para bajar, y al mismo tiempo, laxo, para evitar cualquier accidente.

Antes de bajar, estudio bien el área de la habitación, trato de memorizar el lugar que ocupan los objetos con los que me toparé, una vez haya conseguido llegar al suelo. En una de las paredes, por ejemplo, hay una ventana. Aunque muchas veces intenté tapiarla, no ha sido posible, según se me dijo, porque una disposición municipal lo prohíbe. Y yo soy muy respetuoso de las ordenanzas que rigen nuestra convivencia, de lo contrario, habría muchos más peligros de los que ya existen. Tengo que tener en cuenta la ventana, pues, para descender. No se trata de una ventana cualquiera: está en la parte superior de la pared, en plano inclinado con relación al techo. Por ahí entra la justa luz que puedo resistir, ni más, ni menos. La gente es muy desordenada con la luz (también con las demás cosas): o bien iluminan demasiado (temiendo, quizás, la ambigüedad de las sombras) o bien están en tinieblas (sienten horror por la luz que alumbraría contornos detestados). Sin embargo, en verano se echan en cualquier lugar (en la arena sucia, en los parques raquíticos, al borde de mares contaminados) y dejan que el sol les queme la piel, amoratando los tejidos superficiales, que se contraen, por la deshidratación. (De lejos se los divisa como compactas familias de cangrejos, masa roja de miembros retorcidos y movimiento confuso.) La ventana, cuando bajo, debe estar cerrada, pues una corriente de aire podría ser muy peligrosa para la salud. Tengo un mapa que me permite estudiar bien la disposición de los distintos objetos que hay en el cuarto, de modo que puedo decidir mis movimientos con exactitud, sin estar expuesto a desagradables sorpresas. Existe un ropero, por ejemplo, cuya utilidad no es el caso discutir ahora, que tiene un espejo en la puerta: si no lo evito, en cualquier momento podría reflejarme, a traición, mostrándome a uno en el cual no me reconozco. Debo caminar por la habitación, pues, evitando el espejo. Otro problema es la alfombra: disminuye el frío del suelo, indudablemente, pero tiene la oscura tendencia a formar pliegues y debo desplazarme con cuidado, para no tropezar. (Es posible, además, que hormigas y otros insectos menudos aniden en sus arrugas o pretendan trepar por mis zapatos. Estamos muy mal informados acerca del deseo de los animales.) Los enchufes constituyen un inconveniente suplementario. Cualquiera sabe que si por error o accidente introduce un dedo en un enchufe, recibe una descarga de electricidad posiblemente mortal. Pues bien, de manera incomprensible, los enchufes están colocados en las paredes, a la altura de la mano, y sin protección alguna.

Aunque haya tomado todas las providencias del caso, bajar no siempre es una tarea fácil. A veces, me asaltan súbitos temores. Tengo miedo de abandonar el lecho, la protección de las sábanas, la posición horizontal o inclinada. De modo que me resisto a bajar. Sé que en el suelo tendré que estar de pie, saludar a las personas, hablar de esto o de aquello. Si he anunciado que voy a bajar y cuando ha llegado el momento de hacerlo, no me animo, es mucho peor, pues mi madre, o mi hermana, o mi tío, o una amiga se acercan a preguntar qué sucede. Intentan darme coraje con palabras cuidadosamente elegidas, y que, por eso mismo, me llenan de pavor. Que alguien pretenda comprender mis temores los refuerza, pues demuestra que son reales, que los peligros existen. Si alguien me dice, por ejemplo:

«Baja, querido, he quitado todos los muebles del camino», me horrorizo, pensando que, en efecto, podía haber tropezado con ellos (y no puedo estar seguro de que todos hayan sido retirados, completamente todos). Si mi hermana se acerca hasta el lecho y con gran ternura me anuncia: «Te ayudaré a bajar. Lo haremos lentamente, muy lentamente», me contraigo, retrocedo, me escondo entre las sábanas: en la gentileza con que me brinda ayuda reconozco una suficiencia, un sentimiento de superioridad que me horroriza. La aparente facilidad con que ellos han resuelto el problema de descender de la cama (lo hacen todos los días, como si se tratara de la cosa más natural del mundo) no me inspira ni respeto ni envidia: desde la más remota antigüedad los seres humanos han realizado con perfecta naturalidad actos terribles (la naturalidad es enemiga de la conciencia). De nada me sirve su ejemplo. Por lo demás, un hombre no tropieza jamás dos veces con la misma piedra: ni él, ni la piedra, son los mismos, la segunda vez. De manera que tampoco me estimula la memoria de mi madre: «Baja, querido, ¿recuerdas qué sencillo fue la última vez? También tenías miedo, sin embargo, no sucedió nada grave». Por supuesto: sólo es necesario que ocurra una vez. Se puede estar enfermo muchas veces, pero una sola sirve para morirse.

Cuando consigo bajar, la primera sensación que tengo es de alegría: estoy muy orgulloso de haberlo conseguido. Me parece que me he superado a mí mismo. Entonces, me gusta que haya gente alrededor para celebrarlo, aunque no mucha: una aglomeración en el cuarto trastornaría por completo los minuciosos planes que he confeccionado para ese momento. Pueden aplaudir y saludarme desde lejos, mientras yo, cuidadosamente, apoyo uno y otro pie en el suelo. Al rato, la alegría desaparece: en la tierra, la vida es muy difícil. En primer lugar, al estar todos de pie, los hombres se sienten semejantes, y esto los vuelve muy hostiles entre sí. La competencia, aumenta. Por ejemplo: si estoy arriba, en el lecho, nadie me toma en cuenta: se relacionan entre ellos, como si yo fuera un objeto más, una lámpara o un armario. Deciden, actúan, prescindiendo por completo de mí, lo cual me ahorra el dolor de sus agresiones y de su hostilidad. No intervengo, ni en un sentido, ni en otro. En cambio, si estoy de pie (a pesar de que nunca permanezco mucho tiempo en esa incómoda posición), advierto sus miradas (no todas amables, debo confesarlo), escucho sus disputas, el ajetreo de la casa llega hasta mí con sus inquietantes ecos.

Cuando bajo, no puedo menos que echar una mirada al trozo de calle que se divisa a través de la ventana del living. Veo pasar automóviles muy veloces, cuyas luces hacen señales mientras se dirigen hacia alguna parte. Se detienen —ordenadamente— junto a un semáforo en rojo y luego, todos al mismo tiempo, arrancan rápidamente, adueñándose de la calle. (En mis pesadillas, el semáforo enorme da la señal de partida y los autos, con poderosas mandíbulas rutilantes, se abalanzan, metálicos y enmascarados, sin guía, conducidos por mandos invisibles.) La gente que los conduce se siente muy poderosa. Los transeúntes me resultan más simpáticos, aunque no llego a comprender hacia adónde se dirigen, por qué se cruzan sin detenerse, sin saludarse, como las hormigas o los delfines suelen hacer. También he visto personas uniformadas: porteros, guardias, ascensoristas, empleados de algo. Cada uno muy serio en su uniforme, en su rol, sin equivocarse, como si fuera muy natural. Le he preguntado a mi madre si la gente no duda en el ascensor, antes de pulsar el botón. Si siempre saben exactamente cuál oprimirán. Si no hay un momento de vacilación. Me ha dicho que no, que eso no sucede, y cuando ocurre, se trata sólo de alguien que no ve bien. Los conductores de los autobuses, por ejemplo, no se desvían de su camino. Lo repiten simétricamente, sin alteraciones: no se internan sorpresivamente por un parque, ni guían el autobús hacia el malecón, para echar una mirada al mar. También es asombroso que el hombre de la grúa repita el mismo movimiento parsimonioso (negros terrones ascienden pausadamente, como culpas que cuesta arrancar), eleve la gran pala de hierro y luego, con lentitud, la haga bajar, la entierre en el cúmulo de material, la cargue bien, después la levante y deposite la carga en el camión, sin sentir el deseo de jugar, de describir órbitas en el aire, de cargar algo que no le corresponda.

El espectáculo de la calle me turba y me llena de miedo, de modo que en seguida dejo de mirar.

Mis estancias en el suelo no duran, así, mucho tiempo. Aunque el médico insiste en que me conviene bajar, por la tensión de los músculos y la circulación de la sangre, sé que hacerlo no beneficia a mi ánimo. Atónito, lleno de angustia, vuelvo al lecho rápidamente. Allí me recojo, entre las sábanas, abrigado y protegido. Por un tiempo, nadie se acordará de mí, más que a la hora de las comidas o de la higiene, y eso, como si fuera un muñeco roto, un mecanismo descompuesto. Un maniquí quebrado. Por lo demás, ni acostado, ni de pie, el mundo parece sensible a nuestra participación, aunque febriles movimientos se realicen para demostrar lo contrario. Será, siempre, un mundo ajeno.

AEROPUERTOS

I

A pesar de lo que su nombre propone, no son puertos que vuelan; son nidos de aves y de hombres. A veces un avión se equivoca, al aterrizar, y se produce una catástrofe. Como en los días de niebla, una paloma, medio ciega, desciende sobre el borde de la calle, atropellando a otra, que protesta, y durante un rato, hay un escándalo de palomas.

La condición imprescindible de los aeropuertos es tener el suelo encerado, brillante, para que los niños puedan deslizarse, de un extremo a otro (que ellos llaman ciudades), de modo que mucho antes de subir al avión ya han realizado el viaje.

Hay adultos que sueñan a menudo con aeropuertos; aman la sensación de mundanidad que tienen en él, el arrullo de los parlantes que anuncian vuelos, el hecho de ser mecidos por las alas de un avión que los traslada casi imperceptiblemente. Otros, aman los aeropuertos porque les gusta sentirse suspendidos entre una ciudad y otra, entre un horario y otro diferente, la sensación de no haber partido aún definitivamente, ni haber llegado, tampoco. Algo les dice que están adentro y afuera al mismo tiempo, en el centro y en el margen. Algunos, quedándose, sueñan que pueden escapar.

Hay una cierta nostalgia en los viajeros que parten hacia Amsterdam y la voz de la azafata que convoca a los pasajeros para Trípoli es untuosa, se desliza como una niña almidonada sobre la pista.

Otros, aman el instante de premonición, en el aeropuerto, cuando las incertidumbres se convierten súbitamente en certezas (del largo de un vuelo) y, entre la niebla perpleja de los visores, un punto de luz lejano parece el futuro.

El que se queda suele experimentar una sensación de vacío; el que se va, de frustración; es entonces cuando el viajero y el que permanece miran el aeropuerto y comprenden que es una isla.

II

Otros, que aman el peligro, prefieren los aeropuertos porque saben que en ellos siempre estamos a punto de perder algo.

Los hay que llegan a último momento, olvidando promesas y maletas; dan la sensación de ser livianos, de que al subir al avión se desprenderán del pasado, como de un abrigo gastado. Entonces la azafata dice: «Abróchense bien los cinturones» y el hombre, por fin, suspirando, ata aquello que ha estado a punto de perder.

Los hay, en cambio, que llegan al aeropuerto con mucho tiempo por delante: somnolientos, como bajo el efecto de una droga suave, habitan el aeropuerto como si fuera el útero materno: estiran las piernas, bostezan, sonríen beatíficamente, fuman lentos cigarrillos, leen revistas, miran hacia afuera a través del vidrio. Todo lo cual no quiere decir que suban a tiempo al avión: la espera ha sido tan placentera que con frecuencia, adormilados, prefieren quedarse en un sofá del aeropuerto, mullidos, oyendo, a lo lejos, el zumbido del vuelo, la voz maternal de las azafatas que repiten monótonamente cifras y nombres.

Quienes menos viajan, sin duda, son las moscas, atemorizadas por la altura. En un vuelo de Montreal a Nueva York, sin embargo, encontré una, gorda y confusa, como esas pasajeras que han llegado tarde y temen haber entrado al andén equivocado; terminó por posarse en la calva de mi vecino. No podíamos abrir la ventanilla para echarla, a pesar de que estaba medio mareada, y nunca habíamos intentado cometer un crimen a esas alturas. Nos deslizábamos a nueve mil metros: no supe si el vértigo de la mosca era mayor que el mío.

III

En el aeropuerto de la ciudad de Toronto se ha realizado un curioso congreso: el de los viajeros que nunca han conseguido partir. Las invitaciones se enviaron por correo y una red de satélites transmitía, de un aeropuerto a otro, las sesiones que se celebraban en cada ciudad, con viajeros que llegaban en automóvil o en tren desde distintos puntos del país. En Toronto se centralizaba la información, así como se dirigían los debates. Los invitados, que eran de varias partes del mundo, narraban sus experiencias cómodamente sentados en sillas de cuero, que no volarían nunca. Había ceniceros de plata, paquetes de almendras, posavasos con los nombres de aeropuertos internacionales, cigarrillos de a bordo, licores importados y, sobre la mesa, una finísima torre de plata, con su avión giratorio que oscilaba según los levísimos cambios de presión.

Todos aquellos invitados no habían podido partir del aeropuerto, nunca, por una u otra razón; disuadidos al principio por motivos atendibles y completamente explicables, habían terminado por desistir del viaje, luego de que los pretextos fueran más débiles. Aunque el número de viajeros que no pudieron partir nunca de cierto aeropuerto (cuyo nombre omito) podría hacer sospechar que hay algunos que obstaculizan la marcha del viajero, la tendencia general era creer que se trataba de un hecho casual, sin ninguna intención previa. Se nombró Presidente de Honor a un hombre que veinticinco veces intentó partir del aeropuerto de Copenhague, sin conseguirlo jamás. Menciones de honor se distribuyeron entre pasajeros estables del aeropuerto de Londres, Ezeiza y Santiago. Pero quien alcanzó mayor popularidad fue un viajero frustrado de Nueva York, el cual ha alquilado una sala vacía del aeropuerto Kennedy, para despachar allí sus negocios, recibir a las visitas y entretener sus ratos de ocio.

Al principio, regresaba todas las noches a su hogar, situado más allá del puente labrado, de encaje blanco, sobre el Hudson. Pero los atascos del tránsito, los accidentes imprevisibles y la fatiga, lo convencieron de que era preferible no sólo trabajar en el aeropuerto, sino también dormir. No necesitaba televisor, pues las salas del aeropuerto estaban repletas de ellos; la calefacción era gratis, las duchas, excelentes, y siempre se podía encontrar a alguien con quien conversar, sin necesidad de largos desplazamientos. Aún más: durmiendo en su sala del aeropuerto (alquilada), evitaba impuestos adicionales, siempre podía entrevistar al cliente apurado que estaba a punto de partir y evitaba los largos y solitarios insomnios del lecho conyugal: no tenía más que caminar unos pasos y ya estaba frente al enorme ventanal a través del que se divisaba la llegada de los aviones, día y noche. Era dinámico y estimulante. Siempre se podía intercambiar algunas frases con los viajeros que llegaban —datos acerca del tiempo, la inflación y el gobierno en otros países, inundaciones, epidemias y estrenos de cine—. Otra ventaja adicional de vivir en el aeropuerto era que siempre tenía a su disposición los cigarrillos, pues el estanco no cerraba nunca: ¿alguien conoce el placer de comprar un paquete de Marlboro a las cuatro de la mañana, sin moverse de la habitación? En el aeropuerto había un servicio permanente de asistencia médica, la comida del restaurante era tan indecente como en cualquier otro lugar y las muchachas que se deslizaban por el piso encerado solían ser agradables y simpáticas.

El congreso duró tres días. Cuando acabó, los congresistas volvieron a sus casas, en automóvil, autobús o en tren. Muchos contemplaron con melancolía el aeropuerto, al volverse.

EL TIEMPO TODO LO CURA

Soy un hombre con prisa, por una cuestión de temperamento. Cuando me separé de ella, me dirigí rápidamente a una tienda de empeños. Necesitaba una buena porción de tiempo para depositar sobre las heridas, restañarlas y curar en seguida. Las heridas estaban distribuidas de manera desigual, aunque todas dolían; había algunas más profundas que otras: una fuerte lesión en el orgullo, por ejemplo, sangraba de manera casi continua y pensé que no era decoroso mostrarme así en público. La herida en mis proyectos de futuro era purulenta: la gangrena avanzaba sobre los atardeceres del día domingo e infectaba mis sueños nocturnos, provocándome insomnio.

—Necesito una buena ración de tiempo —le dije al empleado que apareció, solícito, frente al mostrador—. Póngamela sobre las heridas: me iré a acostar ahora mismo. Espero amanecer curado.

El hombre me miró con indiferencia.

—¿Qué clase de tiempo quiere? —me preguntó, sin hacer un gesto. Era rubio, tenía los ojos claros y transparentes, un traje usado, la uña del dedo pulgar más larga, como para raspar la mesa. Su indiferencia mostraba que era un hombre acostumbrado a comprar y a vender.

—Me da lo mismo, la clase que sea, siempre que cure —le respondí.

El hombre miró sin demasiado interés hacia los estantes. Los armarios estaban atiborrados de objetos; había utensilios domésticos, lámparas, ropas usadas, libros de memorias, viejas máquinas de escribir, tiestos con flores de plástico y peceras vacías.

—Tendrá que esperar un rato —me contestó—. No tengo tiempo almacenado.

Detesto esperar. Sin embargo, era lo más prudente. Mis heridas estaban al aire, sangrantes: un buen emplasto podría curarme. ¿Qué clase de tiempo sería el adecuado? ¿Un tiempo vacío, como los días de su ausencia? ¿Un tiempo indefinido? ¿Diez, doce, quince porciones de tiempo? Iba a comprar las que hicieran falta y a aplicármelas de inmediato sobre la piel: soy un hombre que ama la velocidad y la cicatrización era muy lenta.

En ese momento, abrió la puerta una muchacha.

Era rubia, tenía los cabellos cortos, estaba muy bien vestida, pero inspiraba un sentimiento agudo de fragilidad. Tuve miedo de que al abrir la puerta se volara, como una pluma, de que sus pensamientos, sus ideas, sus deseos fueran a estallar, rotos en mil pedazos. Tendría que inclinarme a recogerlos y ella, posiblemente, se sentiría avergonzada. Parecía algo aturdida; es más: daba la sensación de que siempre estaba algo aturdida.

—Quisiera vender un poco de tiempo —dijo, sin elevar mucho la voz, pero también, sin humildad—. En seguida —agregó. Debía tener una urgente necesidad de desembarazarse de él: ni siquiera había esperado a que el hombre la interrogara.

—Precisamente es lo que estoy buscando —dije, adelantándome al vendedor—. Se lo compro. Todo el que tenga. Pago lo que sea.

Pareció un poco sorprendida por mi intervención.

—No creo que sea un tiempo muy útil —dijo, con sinceridad—. A mí me resulta incomodísimo; verdaderamente, no sé qué hacer con él, me fastidia; me gustaría desembarazarme de él de una manera incruenta, honesta, digamos.

—¿Todo el que tiene, señora? —pregunté, un poco asombrado.

Se había apoyado sobre el mostrador, dejando ver el hermoso puño de la blusa adornado con un gemelo. El gemelo era una flor de lis, dorada, sobre fondo negro. Yo hubiera deseado también esos gemelos, y, posiblemente, a la mujer que los usaba, pero en ese momento experimenté un terrible tirón en la pierna: allí tenía un buen golpe, necesitaba un remedio.

Delicadamente apoyada sobre el mostrador, con la camisa malva, parecía vacilar acerca de la cantidad de tiempo que estaba dispuesta a venderme.

—No sé con qué cantidad quedarme —confesó, algo turbada—. En realidad, me gusta matarlo de muchas maneras, arrojarlo por la ventana, dilapidarlo, hacerlo estallar entre las manos. Lo meto en la cama y lo despedazo: ah, tiempo avasallador; siempre reaparece, estorbándome. Tome la cantidad que quiera. Para mí, no tiene ninguna utilidad. El que quede, de todas maneras me parecerá muy largo.

Le compré una buena porción de tiempo. Ella respiró, bastante feliz, como una niña a la que han exonerado de una pesada tarea. Me invitó a beber un refresco (quiere matar el resto, pensé), pero yo quería irme en seguida: las heridas sangraban, todavía, dolían mucho; iba a bañarlas en tiempo, a restañarlas en tiempo, a macerarlas en tiempo, un buen tiempo, un tiempo vacío, como el que había comprado, un tiempo accesorio, sin importancia, pero que restableciera los tejidos.

HISTORIA DE AMOR

Dijo que me amaba y me ofrendó su vida.

Al principio, yo me sentí halagado —era la primera vez que me sucedía—, pero luego comencé a notar un dolor sobre los hombros. No hay vidas livianas. Todas son difíciles de llevar. Como soy sumiso y obediente, calcé bien el pesado bulto sobre mis espaldas y me dirigí, sin vacilación, a la montaña. A veces, su vida me rozaba los omóplatos, en difícil equilibrio, y yo sentía un escozor en la piel, que enrojecía y adelgazaba. Cuando un costado me dolía mucho, arqueaba el lomo e intentaba trasladar el peso hacia el otro.

No había transcurrido aún la primera parte del camino, cuando observé que una de mis costillas cambiaba de lugar, clavándose en mi estómago. Entonces me alarmé, quise despojarme de mi carga, pero ella, solemnemente, declaró que me amaba, y se acomodó mejor sobre mis hombros.

Con la costilla en el estómago, era difícil comer y moverse, pero descubrí una nueva manera de respirar, en dos movimientos, el primero lento y no muy profundo, el segundo algo más hondo, que me permitía seguir caminando. Observé que, mientras andaba, mucha gente se detenía para felicitarme: se había extendido la noticia de su amor y yo me había vuelto relativamente famoso. Mis pies sangraban y desistí de los zapatos. Deseé, como las enormes tortugas marinas, poseer una caparazón milenaria que me protegiera las espaldas.

Bajo el peso de su vida, yo caminaba inclinado. Ya no veía el cielo, ni las altas cimas de los árboles, ni los pájaros que cruzan el aire, ni las fugaces mariposas de los días de tormenta. Es cierto que a veces experimentaba una fuerte nostalgia de nubes y arco iris, pero me acostumbré a andar agachado, a mirar sólo las cosas que andaban a ras del suelo.

Al principio, cuando me detenía al borde de una corriente cristalina para beber o descansar un rato, ella aceptaba que yo depositara brevemente su vida sobre el suelo (comía o bebía vigilándola atentamente para que no se extraviara o un desconocido se la llevara). Así, yo obtenía algún descanso. Pero un día, cuando llevábamos andando ya algún tiempo, me anunció su decisión de no separarse jamás de mí. No pude levantar la cabeza para mirarla, por el peso, pero de todos modos comprendí la obstinación de su propósito. La resolución nacía, según me dijo, de su profundo amor por mí. Tenía la espalda encorvada, mis muslos temblaban, los pies estaban desollados y las costillas, rebeldes, cambiaban permanentemente de lugar, pero el privilegio de su amor era todo mío. «No podrá continuar pegada a mí si yo no quiero», reflexioné interiormente, mientras ajustaba mejor, con un movimiento de hombros, la carga sobre mí. La montaña estaba próxima y la temible ascensión comenzaría de un momento a otro. «Por más que quiera —continué diciéndome— podré desembarazarme un instante de ella para beber o para dormir, aunque llore, me riña

113

o simule estar enferma: bastará que sacuda mis hombros para que caiga.» Pero me equivocaba: cuando intenté sacudirla de mis espaldas para depositarla un momento en el suelo, comprobé que no podía hacerlo. Sus órganos vitales, durante esa etapa del camino, habían comenzado a segregar un líquido amarillento, una sustancia córnea que al secarse sobre mi espalda la había unido definitivamente a mí. Con la obcecación del náufrago, intenté romper con las manos la dura costra que nos unía. «Es inútil —me dijo ella, justo encima de mis riñones—. Mi amor es eterno, indisoluble, indestructible. De mis senos mana esta corriente que al llegar a ti se solidifica y de mi útero fluye este metal que se adhiere a tus costillas.» «Ya no nos separaremos más», dijo, triunfal.

En vano me sacudí, intentando librarme de la carga: sólo conseguí cansarme más. En efecto, igual que esos torpes caracoles que avanzan lentamente con su concha encima, cada vez que yo me movía, sin querer la trasladaba. Pensé aproximarme a la montaña y, brutalmente, golpear mi carga contra la piedra dura, insomne; pronto comprendí que yo me estrellaría también, como una fiera enloquecida.

De modo que comencé la ascensión. Las emanaciones de sus órganos eran cada vez más frecuentes; aquellos líquidos pegajosos se derramaban sobre mis manos, entumeciéndome los dedos; formaban densas películas adhesivas que unían una parte de mi cuerpo a otra que no le correspondía, con lo cual la dificultad para caminar era mucho mayor. Sobre mis espaldas sentía sus secreciones fluir, fortaleciendo cada vez más la costra que nos unía.

A la noche, me sentía agotado y dormía entrecortadamente, mojado por los líquidos que chorreaban de manera intermitente de sus axilas, de sus poros, de sus piernas. Una mañana, desperté con la boca completamente cubierta por un tejido pegajoso, amarillento, de sólida textura, que no me permitía hablar; comprendí que al moverse, en sueños, había exhalado algunas de esas hebras cartilaginosas que se endurecieron sobre mis labios. Luché por romper la cáscara, pero fue imposible: ahora yo avanzaba mudo por la montaña.

La ascensión es difícil. Cada vez estoy más encorvado. Ya no veo a nadie por el camino. No se trata solamente de la soledad del lugar o del riesgo de la montaña: si alguien pasara, yo no lo vería, inclinado como estoy sobre el suelo, a causa del peso. Mi fama, por otra parte, se ha extinguido: no creo que alguien me reconozca, con los huesos al aire, macilento y lleno de costras teguminosas.

No me preocupa el final del recorrido: la cima de la montaña está muy lejos y jamás conseguiré llegar allí. Además, ya estoy muy viejo, o por lo menos, lo parezco. Sé que moriré pronto y he tratado de advertírselo: cada vez estoy más flaco, mis pies ya no tienen piel, los huesos asoman por los agujeros del cuerpo. Como no puedo hablar (ni comer) a causa de la costra, se lo advertí con gestos. Ella me consoló de inmediato. «Te amo —me dijo—. Te he brindado mi vida. ¿Cómo no ibas a darme la tuya?»

EL SENTIDO DEL DEBER

En sueños, trabajo mucho. No bien concluyo una tarea, otra surge, imperiosa, exigiéndome más. Hago mucho por la humanidad en sueños. Mis responsabilidades aumentan, cada noche, por la frívola costumbre de la gente de ignorar los peligros que corren y de estar expuestos a toda suerte de accidentes. No se trata sólo de mi madre, que habita una casa sin puertas, sacudida por el viento, que yo debo apuntalar continuamente con vigas y con postes, o de mi hermana pequeña (es muy raro: su crecimiento se ha detenido a los cinco años; el tiempo transcurre sin que ella lo sienta, ni su apariencia se modifique y a todos nos parece una cosa muy natural que ella permanezca así) que suele pasearse al borde de horribles precipicios ataviada sólo con un vestido de seda transparente: en sueños, también debo proteger a mucha gente que no conozco, pero cuyas vidas corren graves peligros. Especialmente, los bañistas. Éstos, engañados por el sol, excitados por la proximidad del mar, entregados a inocentes actividades —como jugar a la pelota, zambullirse, correr por la orilla—, demuestran una absoluta falta de precaución y, en sus alocados placeres, olvidan los riesgos que los acechan. Hay padres de familia despreocupados, que abandonan a sus hijos en la costa, mujeres que se internan en el agua con inocencia, niños que buscan piedras debajo de las olas. Conozco bien el mar: bajo su apariencia inofensiva, de lento lamedor de rocas, se oculta un déspota. En cuanto arribo a la playa, advierto señales inequívocas de peligro. En el horizonte, en la delgada línea malva que linda con el cielo, presiento que se está formando una ola enorme, esa solitaria e incontenible devoradora de hombres.

He de decir que aquello que me abruma en sueños, no es sólo la magnitud de mi tarea, sino la conciencia. Podría realizar los mismos trabajos, ir y venir despejando el camino de obstáculos, sostener paredes, engañar a los perseguidores o evacuar la casa incendiada con la misma voluntad y frenesí; lo que me abruma, en cambio, es la certeza de ser el único que conoce el peligro, es consciente de él, lo ve llegar ineludiblemente. Como Casandra, a quien la maldición de un dios vengativo condenara a profetizar sin ser jamás oída, la misión que debo desempeñar en sueños es solitaria, nadie comparte mi premonición.

Los ignorantes bañistas acuden alegremente a la orilla. Mientras, en alta mar, una ola enorme se prepara. Nace en silencio, del fondo de un lugar que no conocemos. Ah, cómo la siento lentamente ascender. Tiene tiempo: dispone de un período de absoluta tranquilidad, se gesta en la ignorancia ajena. En esa soledad llegará a erguirse, como una altísima columna de agua, como un templo líquido que avanza implacablemente, sin derramarse. Entonces, intento correr la cortina del mar. Hacia la arena (que ahora luce blanquísima y despojada, pues todos los bañistas se han internado en el agua), el mar termina en

117

varias puntas de tela gruesa y basta, como la piel de un enorme paquidermo. El mar es una gran capa, la tienda de un circo que nadie ve. Se puede jalar de sus extremos, con una gruesa cuerda retorcida. Si se jala, el mar se abate, se tensa y tersa como el telón de un escenario, liso, sin pliegues. Pero la cuerda es muy gruesa y afilada; primero, jalo con los brazos, haciendo fuerza en dirección a la orilla, con todo el cuerpo inclinado hacia atrás. Desde alguna parte, mi padre me da ánimos, procura alentarme. A veces, la presión es tan fuerte (el fondo del mar que tira con su gravedad) que pierdo unos metros: entonces, la enorme ola, como una catedral, se yergue, boca abierta llena de espuma. Pero en seguida procuro recuperarme, a pesar de las heridas de las manos y de los brazos; continúo jalando, concentradamente. He de estirar la tela lo suficiente como para poder llevarla hasta el malecón, y allí, sujetarla contra los amarraderos. Cuando no puedo más, le doy la espalda al mar y hago que la gruesa cuerda pase por encima de mi hombro, para tirar mejor. Sin embargo, esta posición me intranquiliza, ya que me impide controlar el crecimiento de la ola, que debo vigilar.

Jalo con todas mis fuerzas que, sin embargo, son muy escasas en comparación con el peso del tejido gris del mar y temo, en cualquier momento, desfallecer. Entonces la catástrofe se precipitaría. En efecto: en algún momento no puedo más, flaqueo, desfallezco, y con desesperación, observo cómo la cuerda que había sostenido ahincadamente se desliza de mis manos y la tela se repliega, el telón se alza, descubriendo el inmenso mar debajo, hostil y perverso.

Todo sucede con la rapidez de las catástrofes más terribles: la ola gigantesca, a quien nadie sujeta ya (recuerdo con horror que mis fuerzas no bastaron para sostener las amarras) avanza como una catedral líquida y se precipita sobre los incautos bañistas, que se hunden (sorprendidos y asustados) en una profundidad sin límites.

ENTRE LA ESPADA Y LA PARED

El espacio que queda entre la espada y la pared es exiguo. Si huyendo de la espada, retrocedo hasta la pared, el frío del muro me congela; si huyendo de la pared, trato de avanzar en sentido contrario, la espada se clava en mi garganta. Cualquier alternativa, pues, que pretenda establecerse entre ellas, es falsa, y como tal, la denuncio. Tanto el muro como la espada sólo pretenden mi aniquilación, mi muerte, por lo cual me resisto a elegir. Si la espada fuera más benigna que el muro, o la pared, menos lacerante que el filo de aquélla, cabría la posibilidad de decidirse, pero cualquiera que las observe —la espada, la pared— comprenderá en seguida que sus diferencias son sólo superficiales. Sé que tampoco es posible dilatar mi muerte tratando de vivir en el corto espacio que media entre la pared y la espada. No sólo el aire se ha enrarecido, está lleno de gases y de partículas venenosas: además, la espada me produce pequeños cortes (que yo disimulo por pudor) y el frío de la pared congestiona mis pulmones, aunque yo toso con discreción. Si consiguiera escurrirme (imposible salvación), la espada y el muro quedarían enfrentados, pero su poder, faltando yo entre ambos, habría disminuido tanto que posiblemente el muro se derrumbara y la espada enmoheciera. Pero no existe ningún resquicio por el cual pueda huir, y cuando consigo engañar a la espada, la pared se agiganta, y si me separo de la pared, la espada avanza.

He procurado distraer la atención de la espada proponiéndole juegos, pero es muy astuta, y cuando deja de apuntar a mi garganta, es porque dirige su filo hacia mi corazón. En cuanto al muro, es verdad que a veces olvido que se trata de una pared de hielo, y, cansado, busco apoyo en él: no bien lo hago, un escalofrío mortal me recuerda su naturaleza.

He vivido así los últimos meses. No sé por cuánto tiempo aún podré evitar el muro, la espada. El espacio es cada vez más estrecho y mis fuerzas se agotan. Me es indiferente mi destino: si moriré de una congestión pulmonar o me desangraré a causa de una herida; esto no me preocupa. Pero denuncio definitivamente que entre la espada y la pared no existe lugar donde vivir.

EL EFECTO DE LA LUZ SOBRE LOS PECES

Vivo solo, es decir: con la pecera. Se trata de una pecera grande, rectangular, iluminada por una luz de neón, y dentro de ella, los peces se mueven con comodidad, absorbiendo el aire, nadando entre las pequeñas piedras del fondo, los líquenes y las algas.

Está instalada en el living, junto al dormitorio. Además de la luz de neón, que está permanentemente encendida (no soportaría la idea de que los peces se mueven a oscuras, en la soledad de la casa), la pecera tiene un sistema de oxigenación eléctrico, que asegura la renovación del aire.

Mi existencia ha cambiado mucho desde que compré la pecera. Ahora vuelvo a casa en seguida, cuando salgo del empleo, ansioso de instalarme en la silla, frente a la pecera, a mirar los hipnóticos movimientos, a suspenderme, yo también, del agua repleta de barbas y de filamentos. Me acuesto tarde, lamentando tener que separarme de ellos. Algunos se esconden detrás de las caracolas de mar, como si quisieran huir de mis miradas, conservar su intimidad. Porque el carácter de los peces es diferente, ofrece muchas singularidades curiosas, si se los aprende a ver y a conocer. Algunos, tienen raras costumbres. El pececito negro, por ejemplo. Ése, jamás sube a la superficie: prefiere las aguas intermedias, no siente curiosidad por lo que sucede más arriba. *No sé quién es mi vecino de al lado. Nunca lo vi.* El dorado, en cambio, es muy asustadizo y huye cada vez que cambio el agua. Tengo mucho cuidado con la comida: como todo el mundo sabe, los peces son criaturas muy voraces y su glotonería los conduce a la muerte, si uno se excede en la ración. De modo que me compré una balanza y controlo minuciosamente la cantidad de comida que les doy. Eso no evita que se produzcan conflictos; algunos peces, valiéndose de su tamaño, intentan devorar más alimento del que les corresponde, sin pensar en los otros. Los peces, los compro en un acuario, cerca de la casa donde vivo. *En los edificios modernos, nadie se conoce.* Suelo conversar con el dueño acerca de las costumbres de los peces, aunque él no entiende mucho de eso. Vende plantas, perros y gatos, además de peces. Me ha dicho que en los últimos tiempos, ha aumentado la afición por los acuarios, y disminuido el índice de natalidad en el país. Pero voy a cambiar de proveedor: éste los vende en una bolsa de nylon, llena de agua, y yo tengo la sensación de que compro peces envasados. «Medio quilo de peces rojos, por favor», me parece que digo. Uno puede morir, en la ciudad, sin que nadie se entere. La pecera me provoca una especial fascinación. Acomodo bien la silla —¿he dicho que es rectangular?—, apago todas las luces y me siento a observarlos. Sé que es imposible pensar en nada, y aquel que lo intenta, siente su espíritu mucho más inquieto que de costumbre. Sin embargo, yo lo he conseguido, fijando los ojos en la pecera. Es una suerte de hipnosis. Los peces se deslizan, no importa hacia adónde, no hay ninguna clase de ansiedad en ello; las aguas registran escasos movimientos, las plantas están quietas; el musgo, sedoso, irradia una metálica calma. El liquen, parece almíbar. A veces se me adhiere a los dedos, cuando limpio la pecera. Si suena el teléfono, no lo atiendo: no quiero que nadie me distraiga, que interrumpa la observación.

Hay peces pequeños y otros más grandes. Trato de no manifestar preferencias por unos o por otros; aunque la gente lo ignore, los peces son criaturas sensibles, muy susceptibles al trato. *Hoy leí en el periódico que fue encontrado el cadáver de una mujer, muerta dos meses atrás, en su casa. Los vecinos se dieron cuenta por el olor que invadía la escalera. Antes, nadie lo había advertido. En realidad, es una ventaja que los cadáveres huelan.* De todos modos, confieso mi predilección por los peces iridiscentes; son pequeños, ágiles, y tienen una línea de fósforo en las aletas, como los sellos de la reina de Inglaterra. Circulan de manera fulgurante por la pecera, como estrellas en huida. ¿Se habrá dado cuenta, el pez rojo, de mi predilección por los iridiscentes? Conozco a una mujer, que vive sola, que se hace llamar todas las mañanas por su sobrino, para que éste compruebe que ella no ha muerto. Él es muy cumplidor, y telefonea todos los días, desde la oficina. «Todavía no me he muerto», contesta ella. Detesta la idea de ser hallada muerta mucho tiempo después de haber fallecido. Desde que compré la pecera, salgo de casa menos que antes. Me parece un acto de crueldad dejarlos solos: ellos están acostumbrados a mi mirada, sé que me reconocen. Antes, aceptaba algunas invitaciones. Iba a jugar al billar, a beber cerveza o a mirar la televisión en colores. Ahora, regreso de inmediato. Especialmente, desde que descubrí que mi pecera guarda un entretenimiento maravilloso: contemplar cómo los peces se devoran entre sí. Esto es más entretenido que el teatro o que el boxeo; es un espectáculo lleno de interés y de emoción. He llegado a faltar al trabajo para contemplar, arrobado, la lucha de los peces. Es un combate a muerte, lento, tenaz, sin piedad ni tolerancia.

Siempre hay un pez que inicia la persecución. Ésta, puede durar días enteros, hasta una semana, y en esos períodos, consigo difícilmente concentrarme en el trabajo: temo que a mi regreso, el perseguidor ya haya devorado a su víctima, y yo sólo lo note al contar el número de peces.

Al principio, puede parecer que se trata de un juego. Pero algo, en la mirada aterrorizada del que huye, demuestra que es una verdadera lidia. El perseguidor no descansa nunca, y los reiterados fracasos no le restan perseverancia. Acecha a su víctima desde ángulos imprevistos; para el perseguido, no hay tregua, no hay descanso, no existen algas benignas ni piedras protectoras. El perseguidor aparece detrás de una caracola, y, veloz, se lanza sobre su presa; ésta, sólo consigue salvarse si mueve con habilidad el timón de su cola o si imprime a su nado mayor velocidad. De todos modos, si asciende hasta la superficie, el perseguidor va detrás; si desciende, también le sigue. A veces, consigue tocar con la boca el borde del pez que huye, pero sin llegar a dañarlo. He presenciado combates muy largos.

Cuando por fin el perseguidor logra morder la cola de su víctima, la agonía puede prolongarse mucho tiempo más. Es entonces cuando sucede un fenómeno muy interesante: los demás peces, que hasta ese momento habían permanecido indiferentes a la lucha, sin colaborar con uno o con otro, se incorporan activamente a la cacería, tratando, a su vez, de morder al herido, de arrancarle un pedazo. Hasta los más pequeños participan de la actividad. El rastro de sangre que va dejando la víctima los convoca alrededor, y cada uno, dando dentelladas, trata de cercarla. Es estimulante observar cómo los espectadores participan del espectáculo.

Devorar a un pez herido es una operación lenta, difícil. Los otros integrantes de la pecera se cruzan en el camino desde diferentes ángulos, lanzan un mordisco y retroceden; el pez herido, por otra parte, aún intenta defenderse escondiéndose entre las piedras, el musgo o el liquen. Sin contar con el hecho de que en el grupo de perseguidores suelen producirse altercados, disputas, roces. A veces, el pez que ha aplicado el último mordisco a la víctima es herido, a su vez, por el que viene detrás.

Cuando uno de los perseguidores consigue sobresalir por su ferocidad, lo aíslo, durante un tiempo; de este modo, el resto de los peces pueden competir con más homogeneidad. Luego, lo lanzo otra vez dentro de la pecera. Su reincorporación a las aguas provoca temor, un ligero desconcierto.

Desde que descubrí el combate de los peces, no admito visitas: me gusta observar solo el espectáculo, sin acompañantes que me distraigan con sus observaciones inoportunas. Por otro lado, una vez que invité a dos amigos a presenciar el combate, se se comportaron con mucha grosería. Apostaron por uno de los peces, se excitaron, chorrearon los muebles con cerveza, lanzaban juramentos e improperios, estuvieron a punto de romper la pecera. No querían irse: estaban dispuestos a permanecer en el sillón hasta que uno de los peces se tragara al otro. «A veces tarda muchos días. Hay peces que se resisten a morir», les informé. Comenzaron a rogarme que los dejara en casa hasta el final.

Desde entonces, me niego a recibir visitas. A veces, lamentablemente, un pez muy voraz consigue devorar al resto de los peces antes de que llegue la hora de irme a dormir. Entonces bajo, corriendo, hasta la casa del vendedor de plantas, perros, gatos y acuarios. Le pido, con ansiedad, que me venda media docena de peces rojos y media docena de peces negros. «¿Está seguro? —me interpela—. Tengo entendido que no coexisten pacíficamente, que suelen devorarse los unos a los otros.» «Media docena de rojos, media docena de negros», insisto, ansioso. «En realidad, yo era albañil. Pero me quedé sin trabajo, éste no era mi oficio.» Me voy muy contento, con mi docena de peces nuevos. Los meto rápidamente en la pecera. Entonces, me siento a esperar. A veces, tardan uno o dos días en decidirse a combatir. Entretanto, los alimento bien, controlo que sus raciones no sean ni excesivas, ni escasas. Cambio el agua de la pecera, ajusto el tubo de oxígeno. Y mantengo la luz encendida todo el día.

EL CÓMPUTO DEL TIEMPO

Llegué a una ciudad donde todos los niños preguntaban la hora. Iban serios por la calle, con las manos en los bolsillos y aire atareado; concentrados en sí mismos, mirando hacia abajo, hacia una cuenta de segundos y minutos quizás perdidos. Los árboles estaban desnudos y las veredas frías. Uno de los niños vino corriendo hasta mí; los vidrios de las ventanas transpiraban; apenas me sobrepasó, se dio vuelta (era un gesto que quizás había pensado, pero a mí me tomó de sorpresa) y me dijo:

—¿Qué hora es?

Extraje el gran reloj de plata que siempre llevo en el bolsillo. Es pesado, por lo cual los movimientos para consultarlo debo realizarlos con lentitud, como corresponde al acto solemne de verificar el tránsito del tiempo. Alcé la tapa (oval y con una delicada filigrana en el borde) que descubrió la nacarada esfera, igual que en el teatro, pausadamente, la cortina de terciopelo se descorre y deja paso al escenario. (Debo sostenerlo con ambas manos, no sólo por su peso, sino para reverenciarlo.)

—Son las seis y cinco —le respondí, mientras el niño, muy atento, se disponía a reiniciar la carrera.

Del otro lado de la calle, un niño rubio y de lentes (el armazón de carey parecía excesivamente grande para su corta nariz cubierta de pecas) venía corriendo, muy apurado, concentrado en el acto de correr. Cuando llegó hasta mí se detuvo y me dijo, sin pausa:

—Por favor, ¿puede decirme la hora?

Aunque yo la sabía, me pareció muy descortés no extraer el gran reloj de mi bolsillo y consultar las agujas: un escrúpulo de objetividad se inmiscuyó en el aparentemente superfluo cómputo del tiempo. Alcé la tapa (el niño contemplaba la operación con indiferencia) y luego de observar gravemente el rostro de la esfera, informé:

—Las seis y diez minutos.

No pareció conforme ni desconforme: rápidamente, reinició la carrera.

Mi paseo se tornó insólito, como si la luz amarillenta del atardecer sombrío me suspendiera de un espacio desconocido. Imaginé cuál podría ser el sentimiento de los argonautas extraviados en el ponto o el de los viajeros en el espacio, rotando sin cesar. Una niña de trenzas color melón pasó a mi lado y no me interrogó; esto me devolvió cierta confianza y miré los tilos que bordeaban la vereda con mayor tranquilidad. La calle desolada, suspendida, parecía levitar, pero ése era un paisaje invernal reconocible. Pasé ante un café cerrado (la ventana sin cortinas dejaba ver las sillas de duelo, encimadas, las velas apagadas, los vasos vacíos agrupados en el mostrador como espejos sin luz), una lavandería con sus máquinas grises funcionando rítmicamente, como ojos de cíclopes, un restaurante que sólo expendía comidas italianas y por fin llegué a la esquina. Tres niños que corrían parejamente, sin llegar nunca a adelantarse uno de los otros, pasaron a mi

129

lado. Cuando el último estuvo frente a mí, de improviso se paró (los otros dos, entonces, secamente, como autómatas, también se detuvieron) y me dijo, con voz neutra y clara:

—Señor, ¿me puede decir la hora?

Eran las seis y veinte y ellos de inmediato reanudaron la marcha, corriendo simétricamente, sin llegar a aventajarse.

El cielo era morado (como algunos atardeceres de invierno) y ellos corrían hacia alguna parte. No supe cuál era y pensé que allí (fuera donde fuera) los minutos y los segundos eran importantes. Algo que yo no conocía o había olvidado.

LAS ESTATUAS O LA CONDICIÓN
DEL EXTRANJERO

Arribé a una gran plaza vacía, cuyo pavimento, gris, parecía muy reciente. Me di cuenta de que se trataba de una plaza por la forma oval, pero no había edificios alrededor, ni casas, sólo algunos penachos de árboles. Reconozco las plazas por su forma, a pesar de que algunas no tienen reloj, ni bancos de madera con patas de hierro en forma de dragón, ni siquiera una modesta iglesia, ni una mísera cárcel. Ésta era una de esas plazas. Los árboles estaban casi secos, sus hojas eran grises y los troncos parecían a punto de desintegrarse. Caminé por uno de los bordes, sin dirección fija, contemplando la desvaída urdimbre de hojas. Pero la plaza estaba llena de estatuas. No pude darme cuenta si siempre habían estado allí, o sólo hacía poco tiempo. Formaban corros, reunidas, en grupos de tres o cuatro. Las había sentadas, tejiendo, y sus cuerpos estaban integrados a las sillas, formando una sola pieza. Otras tenían la boca abierta, a punto de emitir un sonido, de echarse a conversar. Las últimas estaban de pie, inclinadas sobre las más antiguas, y su gesto era de desgano, o quizás de lasitud.

Me fijé en una, joven, de cuerpo blanco, lánguido, con los lacios cabellos que formaban un solo haz, bordeando la nuca. Su mirada era ausente, creo que miraba más allá de la plaza, los penachos de árboles casi secos. El último corro trazaba una curva que no llegaba a cerrarse por completo, dejaba un corto espacio vacío. Al formar la curva, estaban casi en movimiento, con las faldas torneadas, los brazos despegados del cuerpo y las cabezas inclinadas como si siguieran la dirección del viento. De un viento que con toda seguridad sólo soplaba en ese lado de la plaza, en el reducido espacio donde ellas estaban instaladas, pues el resto del paisaje permanecía en quietud, calmo, estacionado. Entre los grupos, no había ningún intruso, ninguna presencia extraña. Ni un perro merodeaba los alrededores, en ese amanecer helado. Con todo, me pareció que el pavimento era muy reciente. Pero ellas no parecían notarlo. En realidad, no daban la sensación de notar nada alrededor, muy concentradas en sus corros, en su movimiento circular.

Me sentí extranjero y perturbador, aunque la clase de perturbación que provocaba sólo yo pudiera advertirla. Como un intruso, busqué un sendero que me apartara de aquella reunión. Nadie me miraba, pero era aquella ausencia de contemplación precisamente lo que me hacía sentir extraño. Descubrí, entonces, que la condición del extranjero es el vacío: no ser reconocido por los que ocupan un lugar por el solo derecho de estar ocupándolo.

LA PELUQUERÍA

Están sentadas en fila, a la misma altura de la
habitación, de modo que sólo es posible, para el que
entra, apreciarlas de perfil, como ocurre en el cuadro de Leonor Fini, *Las mitras permanentes.* En la
sala se respira un olor ácido. A veces se escucha
el sonido zumbador de un aparato eléctrico, que tor-
nea los cabellos. En posición religiosa, ellas esperan
que el ritual, pausadamente, cumpla sus etapas. La
superior (con toga de nuncio) imparte órdenes con
estilo breve; indica un lavado, exige una tinta. Los
frascos, en las repisas, se embeben de luz.

A la última en entrar rápidamente se le coloca
la túnica de la iniciación, que se anuda en el cuello
con una cinta. Luego, se la empuja con suavidad
hacia su asiento, previamente reservado. Se le ordena que incline la cabeza, coloque las manos en el
regazo y se inician entonces las abluciones. Alguien
esparce incienso por la sala. Las plantas, en sus ni-
chos, tienen la dureza de los tallos de plástico y pre-
siden, rígidas, cada etapa del ritual. Ahora alguien
vuelca agua en las pilas y, con unción, moja las yemas
de sus dedos que luego pasa por la frente y por la
nuca de las elegidas. A otra (la segunda en la fila
de las sentadas de perfil) se le aplica ungüento y
sus cabellos son minuciosamente separados, soste-

nidos con pinzas y cuando están así, alzados como cruces, se les clava un alfiler. Otra recorre la fila de las sentadas y se detiene ante cada una, para embetunarle el rostro con crema. Esparce la pasta con lentitud, ceremoniosamente, procurando borrar los rasgos, tapar las estrías, ocultar las formas. Simétricamente, la hilera se transforma en una sucesión de lápidas mortuorias.

La superiora se distancia, va hacia la pared, para apreciar mejor la obra. Contempla con invisible satisfacción el grupo de máscaras idénticas, petrificadas, indica todavía un toque de cemento en el contorno de un ojo, borra un desliz de la cal (un trazo menos fino) en un cuello. Luego, vuelve a retroceder, para contemplar los ajustes realizados. El torno vibra con un sonido lejano, destructor de caras. Las plantas no se estremecen con cl ruido, ni con la luz del sol, ni con la humedad de las pilas bautismales.

La primera en irse, deja su óbolo en la puerta, oscuros billetes que tapizan el mostrador.

Las otras permanecen, silenciosas, atadas a las sillas y la maestra de ceremonias eleva, en el copón dorado, por encima de su cabeza, la sangre menstrual de una tintura.

MIÉRCOLES

Iba caminando por una calle periférica de la ciudad; el *smog* me hacía arder los ojos y el ruido me aturdía, pero no sé volar, por lo cual tenía que conformarme con aquello. En medio de la agitación del tránsito y del gris del humo, escuché una voz firme y levemente aguda que, a mis espaldas, llamaba:

—Oiga, joven.

Fuera quien fuera, tuvo que elevar la voz para ser oído entre las bocinas, el chirrido de los neumáticos, las sirenas, los camiones y el rumor permanente de la civilización. Tengo la costumbre de volverme cuando alguien habla a mis espaldas. No sé por qué lo hago: casi nunca sucede algo digno de mención (nadie me persigue para darme una carta, anunciarme que gané la lotería o entregarme la escritura de propiedad de una isla del Pacífico; ni siquiera, para invitarme a un café); posiblemente es que tengo miedo a recibir un golpe o un tiro por la espalda: soy hijo de mi siglo. De modo que me volví. A un costado de la calle se elevaba uno de esos tristes y horribles edificios de apartamentos que una urbanización vulgar y barata vende a ingenuas y prolíficas familias, que han contraído el sueño de la casa propia. Ennegrecen antes de ser inaugurados, las puertas cierran mal, la humedad se cuela por las paredes y las tuberías gotean; desde las ventanas sólo se pueden ver edificios idénticos y a menudo alguien se suicida, arrojándose por ellas. Frente al edificio, cubierto por una capa de hollín, había un pequeño muro, de cal, también manchado, y dos ancianas estaban sentadas, conversando. (Nuestra ciudad, que ha encarecido tanto el espacio, carece de plazas y de parques.)

—Oiga, joven·—insistió una de ellas, cuando me volví.

Fragmentos de hierbas sintéticas rodeaban el muro: los decoradores modernos y los urbanistas contemporáneos las colocan sobre el asfalto para satisfacer el amor de la gente por la naturaleza.

Me pareció una estampa singular, digna de ser fotografiada: las dos ancianas de cabellos canos sentadas sobre el muro de cal, rodeadas de automóviles y de semáforos, tratando de conversar en medio del ruido y de las partículas de gases en suspensión, del olor a residuos de gasolina y a contaminadores químicos. Eran humildes, pero estaban decorosamente vestidas y tenían sendos bolsos a los costados.

—¿Podría decirme si hoy es miércoles o jueves? —me preguntó una de ellas, cuando me acerqué: la que me había llamado antes

Era la pregunta más sorprendente que me habían hecho en la vida, y al principio, me desconcertó: hemos perdido el don de la simplicidad.

—Creo que miércoles —balbuceé.

—¿Qué te dije? —reconvino la mujer que no había hablado a la otra, con aire severo. En seguida, se dulcificó. Pasó un camión cisterna tronando, y el pavimento pareció sacudirse. Una ambulancia trasladaba a alguien a alguna parte, vivo o muerto.

—Estábamos discutiendo acerca de si hoy es miércoles o jueves —me explicó la anciana—. Ella insistía en que era jueves, y yo le decía que era miércoles.

—Estaba confundida —admitió, humilde, la otra. Tenía los cabellos blancos y finos, largos, separados entre sí, rizados hacia las puntas. No sé por qué, pensé en una vieja actriz de segunda fila, retirada. Debe ser la influencia de la televisión. Los labios estaban cuidadosamente pintados, y uno podía adivinar que en otra época fueron más gruesos. Y sonreía con un aire modesto e inocente, de mujer largamente humillada por la vida.

—Tú siempre te confundes —rezongó la primera, pero sin animosidad. Creo que a pesar de su dureza, la protegía un poco, quizás por el aspecto desamparado que tenía—. ¿Quiere sentarse? —me invitó, y se apresuró a correrse, descubriendo un trozo de muro vacío. Tuvo la delicadeza de sacudirlo antes, como si se tratara de una silla. Acepté. Me pareció oportuno subirme un poco los pantalones, aunque tenía un agujero en los calcetines.

—Pasamos las mañanas aquí —me informó la primera mujer, y yo pensé en un pic-nic en el campo. Un pesado autobús ocupó el trozo de la acera que teníamos más cerca y despidió una densa bocanada de humo. Se detuvo con estrépito, descendieron hombres, mujeres, niños; por alguna extraña razón, en la boca del metro se concentraba el viento y hacía volar hojas, papeles de diario, residuos sucios. El quiosco estaba lleno de revistas; al lado, vendían golosinas y maní caliente; el resto de la manzana estaba ocupado por un mastodónico supermercado, como un animal antediluviano.

—Sí —agregó la otra—. Pasamos todas las mañanas aquí, menos el viernes; el viernes vamos a la iglesia.

Me pareció un día como cualquier otro para ir a la iglesia.

—¿Quiere un sandwiche? —me ofreció la primera mujer, sacando un paquete blanco del interior del bolso de nylon—. A esta hora siempre tenemos un poco de hambre. A propósito, ¿sabe qué hora es?

No tengo reloj, pero calculé que serían las once de la mañana. En cambio, estaba hambriento, de modo que acepté el sandwiche. Era de jamón y queso. Yo comía velozmente; ellas lo hacían más despacio, quizás tenían problemas con los dientes. Pero me miraban comer complacidas.

—Hay que alimentarse —sentenció la primera mujer, con convicción—. Siempre les digo a mis hijos: hay que comer. —Un camión pasó, cargado de tanques de oxígeno. «Alguien se está muriendo», pensé.

—Pero si tú nunca ves a tus hijos —aclaró la otra, pero en seguida se arrepintió.

—Los veo, sí —afirmó la primera, sin énfasis—. Me visitan dos veces al año: en Navidad y el día de mi cumpleaños. ¿Le gusta el sandwiche?

Dije que sí, y lamenté no haberlo dicho antes.

—Yo no tengo hijos —informó la otra—. Y además, me escapé del hogar —confesó, con pícara satisfacción.

—Es cierto —corroboró la primera mujer—. Hace más de un mes que se escapó. Nadie sabe dónde está.

—Nadie sabe dónde estoy —repitió la segunda

138

mujer, sonriendo—. Pero no me buscarán. ¿Quién me buscaría?

—Nadie se ocupa de los viejos —comentó la mujer que había hablado primero.

Corroboré.

—Ni de los jóvenes —dije.

Me miraron con curiosidad, con atención.

—Es verdad —dijo la primera mujer—. Tengo un poco de agua en una botella, ¿quiere beber?

Dije que sí y me alcanzó la botella, más un vaso de papel sin usar. Estaba sediento. Ciento cincuenta personas —por lo menos— echaron a caminar al mismo tiempo, cuando el cíclope rojo se encendió. Tuve miedo de una avalancha y, por las dudas, me afirmé contra el muro.

—Pero a mí me gustan mucho los jóvenes —agregó la primera mujer, la que parecía una actriz retirada—. Están llenos de buenos sentimientos, aunque no lo parezca —reflexionó.

—Tú qué sabes —rezongó la otra, en el exacto momento en que ochenta y tres autos arrancaron y echaron a correr por la autopista. Lejos, divisé el humo de un laboratorio, sobre el monte, como un volcán.

Le devolví la botella a la primera mujer.

—Los viejos —murmuró— tenemos que arreglarnos solos.

—Nosotros también —añadí.

—¿Viste? —dijo la mujer que había hablado en segundo lugar—. Ya te había dicho que este mundo no era bueno para los jóvenes. Ellos también tienen que escapar.

—Yo mismo —comenté— huí de mi hogar hace unos años. Y nadie me buscó.

—Pero usted estaría mejor dotado para ello —repuso la segunda mujer, con coquetería—. Yo tuve que escalar un muro y me rompí las medias. Las únicas que tenía.

—No te quejes: ya te conseguiré otras —ofreció la primera mujer, con dulzura—. Se las robaré a mi nuera, ella tiene muchas, pero es una avara.

Ciento dos niños, provenientes de un colegio (uniforme marrón y medias grises) parecían dispuestos a atravesar la avenida, igual que en la jungla, los animales pequeños —inquietos y temblorosos— se disponen a dar el primer paso, el primer salto, el primer vuelo.

—De todos modos, fue divertido —dijo la mujer—. Pensarán que me perdí o que me he muerto.

—Este mundo no es bueno para nadie —reflexioné en voz alta.

—Por suerte, me tiene a mí, que le traigo todos los días los sandwiches —subrayó la primera, dirigiéndose a mí—. Hay que ayudarse.

—Sí, hay que ayudarse —dije.

—No tengo ningún inconveniente en compartir mi comida con usted —dijo la segunda.

Ahora se había producido un gran atasco y los conductores, exasperados, hacían sonar las bocinas. Largas, sostenidas, o entrecortadas y compulsivas, atronaban el aire. Algunos conductores bajaban, miraban hacia atrás, hacia adelante, volvían a subir. Los semáforos continuaban funcionando, moviendo sus ojos hacia un lado y otro, ajenos a la confusión.

—Si quiere, puedo darle chocolate —me ofreció la primera mujer—. Es bueno contra el frío, tiene muchas calorías.

Acepté.

—Los jóvenes tienen mucho apetito —comentó la segunda.

—Especialmente los miércoles —agregué, por decir algo.

Les pareció muy convincente.

—Confunde los días porque no está bien de la memoria —me explicó la segunda.

—Eso no es cierto, Clara —corrigió la primera—. Sólo se me han olvidado algunos años de mi vida, no todos. Además, cualquiera puede confundir un día con otro.

—A mí me sucede muy a menudo —la defendí.

—Hay que tener un poco de orden —dijo la otra—. El lunes es el lunes, el martes es martes y el miércoles es el miércoles. Aunque el mundo marche mal y nadie se ocupe de los viejos, ni de los jóvenes, uno tiene que mantener la cabeza despierta.

Me pareció muy razonable. Es así: de vez en cuando conviene escuchar cosas razonables.

—¿Dónde duerme, joven? —me preguntó la segunda mujer, muy amablemente.

—Aquí y allá —contesté, vagamente—. Un día en un lado, otro día en otro.

—Ya no dejan dormir en los andenes —informó la segunda mujer, con melancolía.

—Eso está muy mal —se indignó Clara.

—Espantoso —dije.

La actriz retirada había abierto su bolso y ahora tenía un pequeño mapa en la mano, de esos que regalan en el metro. Me indicó un punto, con la mano.

—Yo duermo allí desde que me escapé. Es una vieja estación de trenes, que ya no se usa. Hay un sereno, un hombre muy gentil y muy simpático. Teme perder su empleo, porque está viejo y ya nadie

141

lo quiere. Él me deja dormir en un banco, y hasta me presta unas mantas. No creo que le importe si usted también quiere dormir allí alguna noche.

Le agradecí muy sinceramente.

—Bueno, ahora me tengo que ir —dijo la primera mujer—. Si fuera jueves, podría quedarme un rato más, pero es miércoles.

—Ya me lo has dicho más de una vez, Clara —contestó la segunda mujer.

El atasco continuaba y no vi ningún pájaro en el cielo.

LAS BAÑISTAS

Con los primeros días de noviembre, llegaban
las bañistas. No todos los noviembres son iguales;
no siempre brilla el sol y tiemblan los médanos de
arena. Hay noviembres plomizos, estancados, de nubes grises y bajas y no puede decirse que haga calor.
Otros noviembres son luminosos, llenos de brisa;
el sol dora la línea de arena que bordea el mar y a
pocos metros de la costa los peces saltan, brillantes,
entre reflejos. Hay zonas donde el agua es transparente y nadando entre las cabelleras flotantes del
musgo y las hierbas verdes, se divisa el perfil de los
peces pequeños que crecen protegidos por las piedras del fondo. Es muy difícil diferenciarlos: yo me
empeñaba —inclinado sobre el espigón— en adivinar cuál sobreviviría; era un pasatiempo condenado
al fracaso: así, si llegaba a reconocer a uno de aquellos peces por un matiz de la cola o una incisión en
la aleta, jamás podría saber, a la mañana siguiente,
si había desaparecido tragado por un pez mayor o
sólo había cambiado de agua, eligiendo otra parte
del mar para crecer. La certeza de que era una ocu-
pación melancólica, destinada al fracaso, no me im-
pedía observarlos durante horas enteras, correr sobre el espigón, cuando velozmente decidían emigrar,
y la fascinación que me provocaba el agua era casi

tan grande como la de sus súbitos movimientos. (Después, con el tiempo, fui descubriendo otras melancólicas ocupaciones destinadas al fracaso, encontré a hombres y a mujeres dedicados a tareas de las cuales el éxito estaba excluido y me parecieron las únicas cosas verdaderamente importantes.) Los peces pequeños nadaban en grupo; sólo los más grandes se animaban a vivir en el agua solitariamente y aunque eran más difíciles de ver, también éstos me atraían. Ese mundo secreto y misterioso bajo el agua me subyugaba, con su silencio, con sus continuos movimientos, sus corrientes ocultas y creo que fue entonces cuando tuve la percepción, cuando comprendí que había mundos paralelos, que la vida que vivíamos era sólo una de las posibles y que mientras ésta se desarrollaba en la superficie —la vida de mi familia, la de mis amigos, la de las bañistas—, bajo determinadas leyes y formas, otras muchas, perfectamente diferentes, también existían, aunque las ignoráramos por completo. Este sentimiento presidió mi infancia y me hizo alternativamente feliz y desdichado. Mientras los peces pequeños se deslizaban bajo el agua cumpliendo las etapas de una vida que yo no alcanzaba a ver ni a comprender por entero, me preguntaba cuántos mundos paralelos existirían, de los que yo no tenía siquiera un reflejo, una gota de agua, un movimiento del ala, ni un estremecimiento del aire.

Los grandes cambios de sensibilidad son raros; acaso no pueden encontrarse más que tres o cuatro a lo largo de la historia humana; por mi parte, la vida cerca del mar fue la fuente de mis emociones, de mis sentimientos, el origen de mis reflexiones y la única forma de soledad sin angustia que conocí, a lo largo de toda la vida. Cuando recuerdo algunos veranos de entonces —el extraño mes de noviembre, tan variable, era el prólogo siempre distinto a la luz embriagadora de enero, el estallido rojizo de febrero, con sus chicharras sonando y los pinos quemados por el sol—, pienso que fue la única etapa de mi vida natural, cuando entre los elementos y yo se había establecido una verdadera comunicación: reptaba como una iguana, imitaba el grito de los pájaros —ellos me contestaban desde las altas ramas—, conocía las costumbres de los crustáceos y de los moluscos, recogía huesos y maderos del mar, juntaba algas, olía, elevando mi cabeza, la fragancia de la tormenta, dormía entre las rocas, como un cangrejo, reconocía, desde lejos, el sonido del viento, sabía la época de celo de las corvinas y descubría en la superficie del agua las iridiscencias que provocan las bacterias (iluminaciones).

Yo prefería el mes de noviembre, por su carácter imprevisible. Durante los primeros días del mes, veía pasar los grupos de corvinas que buscaban las aguas más tibias para emparejarse y procrear. Era la época en que podían ser pescadas con mayor facilidad, especialmente las de gran tamaño. No estaban muy lejos de la orilla y cuando se dedicaban a jugar, podía ver sus lomos plateados subiendo y bajando, oía el chapoteo del agua, seguía sus saltos desde la costa. Me parecía cruel y trágico que fueran más fáciles de pescar justamente en la época del celo, cuando se entregaban inocentemente a sus juegos nupciales. Más tarde supe —y pude comprobarlo en mi propia vida— que el celo y la muerte no eran opuestos y quizás hasta se atraían. Pero entonces, nada sabía de los mitos griegos.

Las corvinas pasaban y a veces —también en noviembre— sobre la arena de la playa aparecían cadáveres de lobos marinos. Eran grandes, de piel negra y brillante; en su cuerpo torpe y lustroso había algo conmovedor, no sólo el deseo oscuro de venir a morir a la costa. A veces permanecían varios días en agonía, mientras las gaviotas y los demás pájaros revoloteaban y graznaban alrededor. Les costaba morir; aunque no podían mover más que la cabeza que golpeaba contra la arena como un pesado tambor, la muerte les llegaba muy lentamente, por etapas, y ellos la esperaban echados, como si no supieran qué hacer con el cuerpo, como si se sintieran aplastados por una carga demasiado grande.

El espectáculo me inquietaba, aunque su crueldad era tan poco elocuente. En la soledad cárdena de la playa —eran opacos, esos días de noviembre— advertía una secreta armonía, la de los grandes lobos moribundos, las nubes lilas y la espuma ocre que descendía suavemente hasta la orilla; el cabeceo agónico, el grito de los pájaros azules y el rumor del viento, en la floresta.

A mediados de noviembre, llegaban las bañistas. Bajaban de autobuses de alquiler de brillantes carrocerías, chillaban como pájaros atolondrados, rápidamente se colocaban sus mallas de baño, sus gorras para el agua, intercambiaban cremas, toallas y sandalias, y saltaban sobre la arena en medio de sus juegos.

La primera vez, sentí su presencia como la invasión de los bárbaros, y la sorda rebeldía que se apoderó de mí, fue la del salvaje ante los colonizadores. Nunca, antes, había visto llegar un grupo hasta la playa. Al principio, yo me escondía detrás de las rocas y las observaba con recelo, esperando que la lluvia, una tormenta inesperada o un accidente —alguien me había hablado de una ola gigante que se formó una vez en ese mismo lugar y que en su abrazo líquido atrapó toda la playa— las hiciera huir, dejando sobre el terreno —como un ejército en retirada— sus pertrechos de campaña.

Cuando caminaba solo por la orilla, recogiendo conchas y amonitas, descubriendo los menudos agujeros que dejaban las almejas o buscando los amuletos nacarados que arrojaba el mar, no había sentido que ese lugar me pertenecía; era una superficie tan vasta de arena y de pinos, al fondo, entre eucaliptos; el mar se extendía tan lejos, a oriente y a occidente, había tantos árboles, tantos médanos, tantas algas, los espigones se internaban tan solitariamente, las rocas múrices y pardas creaban tantos límites franqueables que no había sentido la necesidad de apoderarme del lugar, yo era una parte del paisaje y vivía bajo su fascinación.

Pero la presencia de las bañistas me perturbó; introdujo un elemento humano indisimulable en aquello que hasta entonces sólo había sido agua o madera, piedra o molusco, sonido o movimiento. No sólo me sentía herido en mi instinto animal del territorio, sino que advertía, dolorosamente, una intrusión en la armonía del paisaje, una descomposición de la secreta estructura que hasta entonces regía aquel código marino y vegetal.

Lo que más detestaba aquel noviembre en que llegaron las bañistas, era el carácter imprevisto e impuesto de su aparición. Me sentía traicionado por no haber adivinado o presentido ese advenimiento, y también, por estar indefenso ante él. Los ocasionales visitantes de la playa, otras veces, no me habían molestado. Los veía de lejos, atravesando la costa con paso lánguido —a veces, contraídos por el viento— y eran como esas barcas morenas, diminutas, que algunas tardes aparecían en la inmensidad del mar, lejanas, austeras: se integraban al paisaje con armonía, como un fósil, como el ombligo de Venus o el perfil de un petrel.

Con las bañistas, sin embargo, fue diferente. Habían llegado en un autobús alquilado, repleto de bolsos, de cestas con comida, de sombreros, toallas y bronceadores. Eso implicaba un deseo de permanecer, completamente diferente al tránsito de las barcas o de los caminantes esporádicos, casi irreales.

Como el dueño de un país invadido que se siente, empero, en inferioridad de fuerzas para combatir, me refugié en las rocas y observé, con rencor, las actividades de los bárbaros.

Pasaron los días de noviembre y cuando diciembre comenzó, la situación era la misma: las bañistas llegaban, en su autobús alquilado, descendían entre risas y juegos, con sus bolsos y sus mallas de baño, untaban sus pieles con aceite, el día transcurría entre paseos, incursiones en el agua, siestas en la arena, comidas y refrescos. No me interesaba saber quiénes eran, ni qué hacían; como el campesino desconfiado, las observaba desde lejos, sin aproximarme, sin delatar mi presencia.

En vano esperé la ola gigante. Aunque nunca la había visto, trataba de descubrir sus indicios en el horizonte, su nacimiento en el fondo del mar, allí donde la corriente del océano revolvía el lecho de hierbas y de piedras. Sabía que era tan veloz que estallaba, como una enorme pirámide de agua, descolgándose torrencialmente; en remolino, envolvía las arenas a su paso, las piedras del malecón, los tímidos bancos de madréporas. Su invasión, cambiaba para siempre la estructura de las cosas: había arenas que no se recuperaban, árboles quebrados, rocas desplazadas, planicies pizarras que se hundían, médanos pulverizados. Pero ese noviembre, ese diciembre, la ola no llegó. El orden que debía restaurar —a través de su propia violencia— tampoco fue recuperado.

A fines de diciembre dejaron de venir, con lo cual descubrí, como el hombre primitivo, que había accidentes y ciclos sobre los cuales mi voluntad o mi deseo no podían intervenir. Llegó enero con su calor intenso, el crujido de los pinos, el canto de la chicharra, la reverberación de las arenas, la fosforescencia del agua y olvidé a las bañistas, como se olvida una tormenta, un rayo o el mistral.

Al año siguiente, en noviembre, volvieron, y yo, todavía con desagrado, pero algo más tranquilo, comprendí que se trataba de un ciclo al cual tendría que adaptarme, como se adaptaban los peces, los astros, los insectos y las plantas. Esto me reconcilió un poco con ellas. A lo sumo, se trataba de un mes o dos de intromisión, no más. De modo que dejé de ocultarme y, aunque no me acercaba, debieron divisarme con frecuencia, y no me prestaron atención. Debí parecerles un elemento más del paisaje, tan integrado a él como un tronco en la floresta, la roca en forma de torre que se adentraba en el agua, las luces intermitentes que al oscurecer aparecían en el mar, un risco, o las conchas de moluscos que el sol calcinaba.

Cuando faltaba poco para que el cuarto noviembre llegara, descubrí, sorprendido, que las esperaba con cierta ansiedad. Pocas cosas habían cambiado alrededor, de modo que el cambio debía haberse producido en mí, sin que me diera cuenta. Durante el invierno que había precedido al esperado cuarto noviembre de las bañistas, yo comencé a sentir una vaga inquietud, una incómoda soledad que me hacía rechazar los paseos habituales por la playa, la contemplación del mar y del vuelo de los pájaros. Había empezado a ir con más frecuencia a la ciudad; caminaba por las calles, me detenía ante las vidrieras, veía una película o tomaba un refresco en las cafeterías alumbradas con luces de neón, cuyo secreto encanto acababa de descubrir. También en la ciudad me sentía solo, pero la contemplación de los autos —no olvidaré nunca el paso elegante y sinuoso de los Buicks que aparecieron por primera vez ese año, en las calles de la ciudad—, el zumbido de las máquinas de café, la música envolvente de las radios, de aquellas cajas oscuras en las que se echaba una moneda y se elegía una melodía, oprimiendo las teclas de un código alfabético rutilante—, los carteles que anunciaban películas extranjeras y los andenes repletos de pasajeros, de humo y de billetes usados, me hacían olvidar esa vaga inquietud interior.

Llegó noviembre con la imperiosa precisión de las mareas, las tormentas y las depresiones psicológicas. Fue un noviembre melancólico: el invierno había comenzado tarde y ahora se prolongaba en una primavera inestable, fría, plomiza. El viento sacudía los médanos y yo veía deslizarse las montañas de arena como en un paisaje desértico, lunar. Ese año, ningún lobo vino a morir a la costa y la única cosa que me atraía en la playa era una vieja barca abandonada, en cuyo fondo yacían —inmóviles en el agua— redes podridas, algunos nudos y corchos rojizos. Una gaviota —no sé si siempre era la misma— solía posarse en un extremo y desde allí, impenetrable y serena, vigilaba el horizonte, como un mascarón de proa.

Una tarde, contemplando la calma hipnótica del mar pizarra, y algunas nubes lilas desgarradas en el horizonte, me di cuenta de que estaba esperando, oscuramente, la llegada de las bañistas. No otra cosa hacía mientras me paseaba por las montañas de arena, hurgaba en el bosque, buscando alguna seta tardía o dibujaba en los troncos el perfil de las aves que descendían rápidamente sobre el agua, para atrapar algún pez. Los árboles, altos, se estremecían por el viento y el color del cielo auguraba vagas tormentas.

Hacia fines de noviembre, sospeché que ya no vendrían, como en años anteriores, y la sensación de que el ciclo se había interrumpido, de que algún azar misterioso lo había roto, me produjo una desazón amarga. Los ciclos tenían la virtud de disminuir la sensación de peligro, de inestabilidad y proporcionaban una pauta, cierta sensación de orden al cual aferrarse; eran, hasta cierto punto, ingenuos y transparentes. La ruptura del ciclo, en cambio, me devolvía al caos, me turbaba, como un fenómeno incomprensible, y lo que es peor: me dejaba afuera, sin posibilidad alguna de intervenir.

Decidí realizar algunas investigaciones en la ciudad. Mi ignorancia en cuanto a las bañistas, era absoluta. Sólo sabía la fecha en que llegaban y la fecha en que se iban, pero desconocía cualquier otro detalle, salvo que arribaban y partían en un autobús alquilado. Fui a la compañía, en la ciudad. Era una compañía que organizaba excursiones diarias a diferentes lugares; no había una ruta establecida y el recorrido se fijaba según la conveniencia de quienes lo alquilaban, y el precio. Luego de mucha insistencia, pude ver el registro del año pasado, donde constaban los viajes a la playa, pero no figuraba el nombre de las bañistas, ni qué profesión tenían, ni de dónde procedían. Me extrañó mucho que no hubiera una leyenda que dijera: «Autobús de las bañistas», o algo por el estilo. No podía preguntar por ellas, pues no sabía quiénes eran, y tenía la sensación de que la ciudad las había desintegrado, como un ramillete en el aire. Me sentía tan desolado que se me ocurrieron ideas extravagantes. Pensé que todas ellas habían envejecido y ya no consideraban decoroso ir a la playa. En mi desinterés anterior, no me había fijado en la edad que esas mujeres podían tener. Hice un esfuerzo (podía evocarlas en el momento en que descendían del autobús cargadas de bolsas y de toallas, pero entonces me parecían un coro de niñas bulliciosas), pero sus edades oscilaban, según las recordara irrumpiendo gozosamente en el agua —salpicándose entre sí, como aves en una fuente— o echadas al sol, completamente quietas, como perezosos reptiles. ¿Habían envejecido todas súbitamente, afectadas por una extraña enfermedad? Traté de pensar cosas más razonables: algunas se habían casado, otras, habían cambiado de empleo; dos o tres ya no vivían en la ciudad y las restantes no alcanzaban para llenar el autobús. Aunque esta explicación era más plausible que la primera, de todos modos, me llenó de consternación. No aceptaba la idea de que se hubieran separado, me negaba a reconocerles individualidad; para mí formaban un conjunto, una unidad, y su destino era colectivo, inseparable. Llegaban juntas a la playa, en el mismo autobús, antes del mediodía y se iban juntas, al crepúsculo, sin que los menudos actos personales que realizaban —peinarse los cabellos, frotarse la espalda con la toalla, untarse con bronceador— alcanzaran para conferirles individualidad. Me resistía a la idea de que una de ellas, por ejemplo, se hubiera casado, traicionando a las demás, o que otra hubiera abandonado el empleo. Nunca me había detenido a pensar qué hacían cuando regresaban de la playa, o durante el invierno, pero tácitamente suponía que permanecían juntas, que trabajaban en el mismo lugar (posiblemente todas eran maestras de un colegio suburbano o mecanógrafas de la misma empresa), tenían una edad semejante, todas ellas, y vivían juntas. Si no en la misma casa (ya no existían casas tan grandes), por lo menos en grupos de cuatro o cinco, en el mismo barrio. Experimentaba una viva violencia al imaginar la inclusión de un elemento extraño en el grupo, como un hombre, por ejemplo, un perro, unas vacaciones en el extranjero o un cambio de profesión.

Súbitamente me di cuenta de que estos datos tácitos que yo había dado por ciertos debían ser falsos y que en lugar de corresponder a la realidad, respondían a mi fantasía de las bañistas. Esto me desconcertó, e inició un período de reflexiones nuevas para mí, en torno a la tendencia a sustituir el análisis por la imaginación; desde ese momento, empecé a sentirme inseguro, cada vez que creía saber algo.

Ese noviembre, caminando por una playa que sentía completamente vacía, cuya soledad me dañaba, comencé a desconfiar de mí mismo, supe que iba a traicionarme más de una vez. Ahora hubiera dado cualquier cosa por ver detenerse, una mañana de ésas, el autobús metálico cuya carrocería despedía rutilantes reflejos; por escuchar el parloteo entremezclado de sus voces; por verlas introducirse en el agua entre gritos de sorpresa y saltos nerviosos.

No vinieron. El ciclo se había roto y yo no tenía ninguna certeza de que se restableciera.

CUADERNO DE VIAJE

Bitácora de setiembre

Es necesario hacer un largo viaje para encontrar, en la Galería de la Familia Krupp, el paisaje al borde del mar que pintó Salomon van Ruysdael, con sus frondosos árboles inclinados por el viento (el paisaje, sin embargo, es de una notable calma; el viento ya pasó, otro día, otro tiempo, torció las ramas y las hojas), su iglesia gótica en lontananza, la barca oscura en que cruzan las ovejas, los bajeles de velas desplegadas que se internan en el agua azul y argenta. Pero nadie realiza un viaje tan largo sólo para ver un cuadro. Entonces, sucede que el viajero que llegó a la ciudad por otros motivos, descubre el cuadro, y cuando lo recuerda, en el silencio de la habitación sombría o en medio de un parque donde los niños juegan con globos, se asombra ante la combinación infinita de azares que lo llevó a la ciudad, y ese pensamiento, a cualquier hora de la tarde, lo hace comprender súbitamente cómo Ruysdael ordenó las nubes, reflejó una vela, diluyó la torre de un castillo en lontananza, por terror al caos, llamado, de otro modo, azar.

Es posible que el viajero que súbitamente descubre el cuadro de Van Ruysdael sea el mismo que luego, sentado en la terraza de una *Konditorei*, en Berlín, al atardecer, escribe una postal que dice así: «Querida mía: El azar impide la certeza; dicho esto, es necesario agregar que a veces una pequeña certidumbre —entrevista como la luz platinada de un cuadro— es tan intensa que ordena durante un tiempo —digamos, la madurez de una vida— el caos. Te amo con una de esas insólitas iluminaciones».

Ella no vio el cuadro de Van Ruysdael; por otra parte, la postal, mal timbrada, no llegó a destino y la iluminación puede acabar en cualquier momento, pero como el viajero ignora todos estos hechos, recorre las ciudades en busca de imágenes, de reflejos, de episodios, de pequeños trofeos que aportar a la amada, para que ésta, en la imaginación, y sin moverse de su casa, reconstruya el viaje.

A pesar de todo el dolor que acompaña la revelación de que ella no lo ama y posiblemente no lo amó nunca, el viajero sabe que su contemplación alada del cuadro tuvo una intensidad sólo comparable a la de una obsesión. Espera emprender —como Gulliver— otro viaje y confía hallar, también, otro cuadro.

En una vieja librería, del Barrio Chino, encuentra este pasaje de un libro, que lo estremece:

«La complicidad con que miran un cuadro, pasean por las calles, contemplan un jardín italiano o compran un libro, es luminosa como un cristal, frá-

gil y quebradiza como su reflejo; flota sobre el mundo antes de estallar, pero sobrevoló las aguas, se detuvo en la copa de un árbol y propició múltiples visiones.»

En sueños, él integra esa pareja.

Por lo que he observado, en algunas ciudades sirven el té en un simple vaso de vidrio, con poca agua y azúcar en terrones; la escasez del líquido y la ausencia de protocolo con que ha sido servido indican, aparentemente, que debe ser bebido de prisa, y ausentarse rápidamente, como si se hubiera incurrido en una falta. En otras, en cambio, lo sirven en finas tazas de porcelana, con delicados arabescos, flores doradas o paisajes del siglo XVIII, cuyo dibujo se repite en el plato. El azúcar, en grano, reposa en un recipiente que hace juego. La tetera tiene tapa de metal. Entonces el líquido es como un bajel que flota en un mar en calma y fluyen, de la taza, numerosos recuerdos y divagaciones. La infusión invita a quedarse, a permanecer en el lugar, a contemplar la cúpula de la iglesia, a escuchar el rumor de los árboles.

Recuerda dos sirenas fascinantes: la que se yergue frente al mar, en Sitges, al costado de la iglesia, y la sirena del interior de un café de Berlín, reproducida en los monogramas de las servilletas y de las tazas.

El Mediterráneo es un mar en calma, pero rompe con fuerza en el ángulo que forman la iglesia y el espigón (en cuyo extremo se alza un faro). Hay una

157

gran escalinata que desciende hasta la explanada, junto al mar, bordeada por rocas de líneas completamente rectas, como un juego de cubos que un niño distraído hubiera olvidado. La iglesia, la escalinata, el espigón y el amarradero componen un conjunto realmente singular y se pregunta si esta curiosa composición es resultado del azar o responde a un plan perfectamente calculado. La sirena está allí, de espalda al mar, tocándose la cabeza con un brazo graciosamente alzado.

Nadie sabe la edad de las sirenas: si hay sirenas púberes, maduras, si envejecen. (Cree recordar el terrible espectro de una sirena vieja en un cuadro de Böcklin.) Sea como sea, la sirenita de Sitges es una sirena joven: ha salido del mar como de un cuenco y le preocupa la compostura de sus cabellos, le gustaría tener un espejo donde mirarse. Los niños iluminan con bengalas la noche, a su alrededor; estallan estrellas de colores, flores de pólvora sobre las barcas; ella participa de la fiesta como si su bronceada cola de pez fuera un vestido de gala que se ha colocado, el adorno de una noche de disfraz.

La sirena de Berlín, en cambio, padece su doble condición impuesta, languidece por ella y se desgarra. Humillada por esa falsa cola que aprisiona sus piernas, tiene una nostalgia de movimiento que acentúa, paradójicamente, el hecho de estar en posición inclinada. La cola la ata, la funde a la orilla, de donde procede, y su rostro (verde, como las algas) transmite una melancolía marina. Ha ascendido penosamente desde el fondo (allí donde el mar es marrón y térreo); de esa ascensión, conserva penosos estigmas: hay filamentos de hierbas acuáticas en su cabellera, caballitos de mar, una estrella. No los luce como adornos, sino como esas vergonzosas marcas que hombres perversos labran en otros.

Una mano, extenuada, se apoya en tierra; la otra, apenas alzada, implora. Como alguien encerrado de por vida en una armadura demasiado exigua, inclina algo el tórax, para aliviar la incomodidad del cuerpo. Salvo que ese gesto hacia adelante indique que la fuga ha comenzado y esté a punto de abandonar —como las crisálidas— su antigua cola en el desván del café de Berlín.

Sabe, irremediablemente, que está condenado a viajar, a buscar en las imágenes de los puentes, de los lagos y canales, de las calles empedradas y en las viejas estaciones de techos de hierros enlazados los símbolos de una condición ambigua, como la de las sirenas. Sabe, además, que cualquier viaje en el espacio constituye, también, un viaje en el tiempo, y en la figura trasladada que proyecta ese doble viaje, confía encontrar —en el puerto de una ciudad que no conoce o en el andén de un tren que partirá simultáneamente en muchas direcciones— el eco de ella en otros tiempos, otros espacios, como lo encontró en el cuadro de Van Ruysdael, en un viejo libro, en una postal, en la alegre sirena de Sitges, en la torturada sirena de un café de Berlín.

LA CIUDAD

El sueño retornaba, una y otra vez, y en él, una presencia no identificable, *alguien* de sexo impreciso, cuyo rostro no veía, pero que indudablemente estaba allí. Aunque el sueño no era estrictamente el mismo —algunos detalles del decorado cambiaban; a veces, era de día; otras, era de noche; había una casa, no siempre la misma, o no había casa alguna, la superficie del sueño era desierta como una pampa—, al despertar estaba seguro de que, en realidad, esos detalles no eran sustanciales: el clima del sueño, su atmósfera, era igual. Y siempre el recuerdo —el presentimiento, mejor dicho— de que en el sueño había alguien, cuyo rostro no podía conocer, una presencia misteriosa que poseía con toda seguridad la clave del mismo, cuya ignorancia lo sumía en la indefensión, en la incertidumbre, porque no conocer la índole de nuestros sueños es una especie de traición que cometemos contra nosotros mismos, una trampa procelosa en la que hemos caído, propiciada por las potencias oscuras de lo interior.

La última vez evocó una ciudad que conocía —había nacido en ella treinta y seis años atrás, pero la abandonó cuando tenía veinte—, y aunque en el sueño *sabía* que se trataba de la ciudad de sus orígenes, muchas cosas habían cambiado en ella, hasta volverla irreconocible, aunque en el sueño, supo que se trataba de su ciudad natal. Si los sueños pudieran fotografiarse —el hombre había llegado a la luna, pero no conseguía recordar aún todos sus sueños, incongruencia que le provocaba reflexiones sarcásticas—, con seguridad podría decir cuáles eran los elementos que le habían permitido reconocer a la ciudad, pese a las diferencias de aspecto.

Esa ciudad lejana, que los sueños le devolvían, en un viaje que no había intentado hacer, era y no era la misma, y su presencia en ella no tenía más justificación que provocar ese sentimiento de extrañeza y de reconocimiento, al mismo tiempo, similar al que experimentamos delante de una vieja fotografía. Sólo que la cámara fija un momento siempre pasado, y él no podía asegurar que la ciudad que veía en sus sueños formara parte del pasado, ni del presente, ni siquiera del futuro: era otra, sin duda, pero flotaba en un espacio sin tiempo, sin precisiones geográficas o cronométricas, flotaba en el espacio, increada todavía, suspendida de algo que no era la memoria pero tampoco podía ser el presentimiento. Con seguridad la ciudad de sus orígenes no era así, no lo había sido, ni lo sería; pero en el sueño, correspondía a su ciudad. Él era, entonces, el arquitecto de una urbe que no había querido construir, que lo sorprendía con sus barrancos inclinados, sus pastos altos, sus ventanas simétricas y la luz mercurial de la tarde (había pozos llenos de agua y también unos pájaros negros, similares a los cuervos, *pero que no lo eran*), o lo sorprendía con sus plazas desiertas, cubiertas de estatuas, con la vasta superficie de sus calles sin casas, y un enorme reloj caído en el suelo, que señalaba una hora siempre improbable. Y estuviera en una de esas plazas, comprobando el mármol frío de las estatuas, o intentando en vano encontrar un taxi (debía llegar a alguna parte, no recordaba cuál, pero era seguro que se trataba de otro lugar, quizás en otro continente, bajo un cielo distinto) o estuviera intentando trepar por las montañas que giraban (había montañas móviles, como monumentos de cartón en un parque de atracciones), siempre era consciente de una extraña presencia; había alguien más, que no podía recordar, a quien posiblemente no conocía, pero estaba allí, a sus espaldas o en un costado, figura invisible que dominaba el sueño y las plazas del sueño sin hacer un gesto. ¿Había realizado el extraño viaje con esta rara compañía, o la figura ya estaba allí, anticipadamente, esperándolo en la ciudad de la que había emigrado, a los veinte años, huyendo del caos y de la sinrazón?

Una vez, en el sueño, había descubierto un patio de Alcoé, y este descubrimiento le había proporcionado alguna certidumbre; dentro del mismo sueño experimentó la satisfacción del reconocimiento, como si haber visto el patio redondo con sus grandes mosaicos blancos y azules que dibujaban figuras geométricas paralelas y las plantas verdes en las opulentas macetas de piedra gris (como había en la casa de sus mayores: ficus y buganvillas contra la pintura blanca de la pared del patio trasero) le restituyera cierta confianza, fuera un eslabón en la cadena que seguramente él debía anudar, aunque se sintiera débil, impotente, con piedad de sí mismo. Otra vez, fue una ventana: estaba seguro de que esa ventana, con delicados visillos transparentes, a través de los cuales se divisaba el respaldo de un gobelino malva y el ala de una mesa redonda, donde

162

seguramente se apoyaba un teléfono, era la ventana de una habitación que él conoció de niño, y visitó con frecuencia, para jugar con la niña de trenzas doradas y gruesos labios rojos que fue su compañera de infancia. (No soñó con la niña, pero la ventana hizo que la evocara y durante dos días vivió con la ansiedad de enviarle una carta, una tarjeta postal, cualquier cosa que testimoniara su existencia, todavía, a miles de kilómetros de distancia, y lo que es peor: a decenas de años diversos ya definitivamente pasados.)

Pero si el patio de Alcoé —a pocos pasos de la estación de trenes construida por los ingleses, cuyos viejos y majestuosos herrajes le seguían pareciendo, aún en el recuerdo, los bastidores y andamios de un gigantesco astillero y poco le importaba que la estación fuera de trenes, y no de barcos— y la ventana de Miraflores —donde vivió y se crió sin rumbo fijo, hasta zarpar en el viaje que lo llevaría definitivamente lejos de allí, porque no deseaba participar en una locura colectiva contagiosa e incontrolable, paridora de catástrofes— eran datos seguros, eran remos para surcar el proceloso mar del sueño extraño, eran pilares de un ambiguo edificio —la ciudad— construido por manos desconocidas, en cambio, había otros detalles que lo llenaban de desconcierto, por la dificultad que tenía de atribuirlos a alguna realidad conocida. Las montañas giraban y los árboles tenían hojas azules; la superficie de la tierra era pétrea, a veces, y sobre esas rocas, crecían unos pocos pelos, tiesos, oscuros, humanos; ningún auto atravesaba la desierta meseta y el puerto, súbitamente, había desaparecido. Tan raro como el paisaje urbano despojado de vehículos, de puertas giratorias y de ascensores, era su sentimiento de pertenecer y no pertenecer, al mismo tiempo, al extraño lugar. Nadie lo reconocía, lo cual lo asombraba, a pesar de que él tampoco reconocía a nadie; a veces, lo tomaban por forastero, a veces, lo trataban como si siempre hubiera vivido allí. Un gran secreto pesaba sobre la ciudad, de eso podía darse cuenta en el sueño; un secreto que a él también le pesaba, pero que temía descubrir sin proponérselo. Pero a veces olvidaba por completo en qué consistía, y eso lo angustiaba más aún.

Y siempre, en una parte u otra del sueño, la sensación de que una presencia desconocida (¿o sólo no descubierta?) acompañaba sus pasos, no con el propósito de que se sintiera menos solo o vagamente protegido, sino con autonomía: estaba allí, no se sabía desde cuándo, tenía una oscura relación con él, una relación que él había olvidado y una de sus faltas —no la única, pero sí la principal— consistía, precisamente, en no reconocerla.

Estaba seguro de que una vez, en el sueño, descubrió su sexo; este descubrimiento lo llenó de excitación, mientras dormía, pero con el despertar la certeza desapareció; no se difuminó: súbitamente desapareció, oscurecida por la realidad diurna, y él (aunque se esforzó como un cirujano que procura extraer de la víscera insondable el misterioso veneno, o como el recolector de almejas hunde la mano en el agujero oculto para atrapar la concha) no pudo traer desde el pozo oscuro de la memoria, no pudo reflotar, no pudo arrimar a la orilla la revelación, sumida otra vez en la ignorancia. Se irritó consigo mismo, maldijo la impotencia, la escasez de recursos de nuestra mente diurna, procuró volver a dormirse (aunque su experiencia le indicaba lo contrario, tenía la secreta esperanza de volver a soñar lo mismo y recuperar en el ámbito del sueño lo que la luz diurna le negaba) y cuando lo hizo, flotó en aguas oscuras, cavernosas, que lo mecían como una cáscara en el mar.

Fue entonces, cuando se le ocurrió el procedimiento contrario. Si el sueño no quería revelar su secreto, si la presencia anónima no consentía en identificarse, iba a ser en la realidad donde tendría que encontrar el signo, la huella del enigma nocturno. Seguramente algo, en los seres que conocía, en las personas que configuraban su entorno, propiciaría la revelación. Había errado el procedimiento: en lugar de escarbar en los meandros ambiguos del sueño, en sus atmósferas enrarecidas, era en los componentes diurnos donde debía buscar, hasta encontrar. Estaba seguro de que se trataba de algo sutil, que hasta entonces había pasado inadvertido para él; nuestro trato convencional con los seres que nos rodean es con frecuencia desatento, ritual, poco sensible. Entre cada uno de nosotros y los demás se erige una montaña de objetos que nos separan, ofician como verdaderos tabiques que nos condenan a la soledad, tumba y oasis de nuestras aspiraciones. A menudo hasta la taza de té que ofrecemos al visitante es, al mismo tiempo que un gesto de cortesía, una forma distanciadora de señalar nuestros respectivos espacios. Y nos es más fácil permitir una transgresión a la enredadera del balcón (que ya trepa por la ventana) que al visitante que ha osado permanecer media hora de más en nuestra casa (osario).

Descartó, de entrada, las figuras veniales: vecinos, compañeros de oficina, conocidos circunstanciales con quienes mantenía un trato tan cortés como superficial: ninguno de ellos podía haber penetrado en su sueño, para lo cual, era necesario poseer algún secreto, haber impresionado de manera suficiente la membrana de la memoria. Se asombró de lo despojada que quedaba la lista, una vez depurada de estas presencias accesorias. Supo, entonces, que en los últimos años (posiblemente después de los treinta) había preferido, casi inconscientemente, esas presencias benignas e intrascendentes que podían rodearlo sin amor, compartir una copa de vino o un pastel sin compromiso, ir al cine o al billar sin confidencias. Figuras aletargadas en su propio remanso, con las que quizás sólo tenía algo en común: el sueño sin sueños de la vida diurna, un transcurso cotidiano alejado de cualquier vibración, el refugio en la rutina por temor a lo insólito. Con ellos, había conversado a lo sumo acerca de la necesidad de adquirir un refugio antiatómico, como ocurría en los países más avanzados, nueva necesidad que sustituía, a veces, a la casa en el campo o en el mar.

Descartadas las figuras intrascendentes, sólo quedaba un par de personas a investigar, como posibles fantasmas de sus sueños, y se prometió el máximo rigor.

Primero, pensó en Luisa, a quien hacía tiempo no veía. Habían estado casados un par de años, y aunque el matrimonio fue un fracaso, él conservaba un vago sentimiento de culpa, en cuanto a ella, como si el fracaso hubiera sido una falta suya, algo que debió darle y no le dio, por carecer de estímulo, pero como si necesitar estímulo fuera, también, una necesidad culpable. De la enmarañada trama de la culpabilidad salía con actos excesivos, cuya exageración lo volvían al estado de culpa y ella presenciaba esos giros, ese encadenamiento de responsabilidades como los ejercicios de un saltimbanqui en la cuerda: con una lejanía inaccesible, bajo un escenario lleno de luces. Luisa no había estado nunca con él, en su ciudad natal: experimentaba un fuerte sentimiento de rechazo por cualquier país no europeo, convencida, de manera oscura e incontrolable, de que más allá del océano comenzaba un mundo diverso, lleno de pestes malignas, comidas envenenadas, criaturas esperpénticas, animales salvajes, volcanes coléricos, ríos que se precipitan y una suciedad general. Las largas conversaciones que él había tenido, para convencerla de que las cosas *no eran exactamente así*, chocaban con una resistencia que mucho más que racional, era instintiva: como si Luisa quisiera defenderse de un peligro muy grande, que había colocado más allá del océano, para poder vivir cómodamente y en paz de este otro lado.

—He vuelto a soñar con la ciudad, Luisa —le dijo él, cuando se encontraron en un café del centro. Lo confesó con pudor, como un niño que ha vuelto a cometer una falta por la que ya se le ha castigado otras veces.

Ella lo miró con desconcierto. Hacía tiempo que le costaba un gran esfuerzo mirar a la gente de frente. Para solucionarlo, había ido al oculista, quien le había recetado lentes, pero eso no solucionó el problema: ahora le molestaba la luz, la luz diurna tanto como la de las lámparas, y se esforzaba por concentrarse en objetos pequeños: pedazos de papel, lápices, sacapuntas, cualquier cosa que estuviera

167

apoyada sobre una superficie y no oscilara, como los rostros.

—Es el sueño de siempre, Luisa —continuó él, convencido de que se precipitaba por una colina despoblada, cuyo fin no divisaba, pero seguro, también, de que no haría ningún gesto para aferrarse a algo, si lo encontraba. Su amigo Juan lo llamaba el vértigo de la aniquilación. Lo padecían algunos seres en el mundo, y parecía incurable.

»Pero en el sueño hay una presencia, ¿sabes? Antes (y Luisa no supo si se refería a hace unos meses atrás o al período de su matrimonio, ese ambiguo período en que ambos se sintieron flotar como algas, desamparados, escrutándose con miedo, e impotentes, por lo demás, para dedicarse a lo superficial y cotidiano) no estaba seguro; antes percibía algo extraño —no sólo la fisonomía de la ciudad—, pero no podía darme cuenta de su naturaleza. Ahora sé (desde hace poco tiempo lo sé bien) que es una presencia. Alguien que aparece en el sueño, aunque no veo su rostro ni su figura, pero que está allí, en la ciudad, como mi sombra; no sé si ha hecho el viaje conmigo (y a veces, Luisa, ni siquiera creo que haya existido un viaje: a veces no me he ido nunca, o inexplicablemente estoy allí, sin haber partido, e ir o permanecer, Luisa, son meras palabras, sin ninguna clase de peso) o si me esperaba; no sé si ha sido el inductor del regreso o yo lo he arrastrado conmigo. Pero él no experimenta zozobra, ni perplejidad. Está allí, y no sé qué siente, ni qué desea, pero tiene algún poder sobre mí. Mucho más que el poder que intuyo, tiene el supremo poder de oscurecerse, de negarme su identidad, de resistirse a mis esfuerzos por atraparlo a la luz del día. No sé quién es. Ni siquiera sé si se trata de un hombre o de una mujer.

Ella hizo un esfuerzo por mirarlo a la cara, sin pestañear. No estaba segura de que le hablara a ella, realmente. No estaba segura de que alguna vez le hubiera hablado. ¿Qué le pasaba, que sólo podía referirse a símbolos? Símbolos intercambiables: si ella fuera Inés, en lugar de Luisa, él le haría las mismas confidencias; daba igual que tuviera el cabello oscuro o dorado; daba igual que le repugnaran los sueños, que ése le pareciera un mundo tan inhóspito y lejano como el que quedaba más allá del océano, de ese océano vanidoso que los separaba, porque la función del océano siempre fue la misma: diferenciarlos.

Con un supremo esfuerzo lo miró (y sin embargo, sus rasgos no eran exóticos, como ella siempre había pensado debían ser), para comprobar cuán profundo era su rechazo. ¿Qué pretendía ahora de ella? Estaba cansada. Había trabajado todo el día y anhelaba un buen baño, música suave y un yogourt de fresa. No hay nada como un yogourt de fresa cuando se está cansada. Y la salida de baño de felpa blanca. Tan acariciadora, que podía quedarse acogida en su calor toda la noche. Una noche que seguramente él dedicaría a revolver en sus sueños, como un buceador.

—¿No has pensado en volver? —le preguntó ella, y él sintió un escalofrío.

La miró de lleno, por primera vez, como si hubiera aparecido recién, en su elegante traje sastre, con su blusa de volados color pastel y sus manos largas y finas, que, por momentos, le provocaban irresistibles deseos de besarlas. Pero la pregunta lo había herido, inexplicablemente.

169

—No es *esa* ciudad, Luisa, entiéndelo. No se trata de volver a ninguna parte. Ni de ir a otra. Quizás, los que no son extranjeros no llevan una ciudad adentro —reflexionó en voz alta—. No sueñan con mapas desconocidos.

—Has vivido los suficientes años en ésta como para haberte adaptado ya —le contestó ella, severa. También se sentía vagamente herida y pensó que esas cosas eran las que terminaban por separar a la gente: heridas imprecisas, escoraciones, rivalidades.

Súbitamente, deseó irse. Algo, como una calle vista en medio del sueño (una calle entrecortada, de viejos edificios inclinados, el empedrado húmedo y brillante, el moho en las paredes) lo atraía, y no sabía bien hacia dónde.

Con Juan fue diferente. Acababa de regresar de un viaje por la ciudad donde ambos habían nacido y decidió someterlo a un riguroso interrogatorio (eufemismo habitual en los informes policiales, que ellos conocían sobradamente). Pero Juan había regresado melancólico y poco comunicativo; respondía con monosílabos y su mayor interés parecía ser reconstruir la batalla de Waterloo sobre el suelo del living, luego del trabajo, y rehusaba las conversaciones que giraban sobre el tiempo y el espacio.

—Unifiquémonos —había sido la rara consigna con la que bajó del avión, algo mareado, por lo demás, porque detestaba volar, las azafatas le creaban una rara ansiedad («Nunca les creeré», aseguraba) y no soportaba la ausencia de asfalto bajo sus pies. En lugar de lo que él esperaba (y aunque no podía precisar qué era lo que esperaba, con seguridad lo hubiera reconocido, de aparecer), Juan se dedicó a narrar de manera minuciosa y pormenorizada las diversas catástrofes que estuvieron por ocurrir en el avión, durante las dieciséis horas de vuelo, sin olvidar la descripción de cada uno de los viajeros y sus pequeñas manías. Pasaron los días y Juan pareció concentrarse más que nunca en la batalla de Waterloo; estaba seguro de poder transformar su resultado y no cesaba de anunciar que se trataba del único cambio que el hombre individual podía ejercer sobre la historia: allí en la alfombra, y con soldados de juguete.

—He vuelto a soñar con la ciudad, Juan —le comunicó una tarde él, aprovechando una pausa en el juego. Para una mejor concentración, Juan jugaba solo, contra sí mismo. «Mi mano izquierda ignora lo que hace mi mano derecha —decía— y como tengo tan poca memoria como la mayor parte de los pueblos del mundo, olvido de inmediato las masacres que unos han cometido y sus injusticias, recupero a un general defenestrado, condecoro a un traidor, vuelvo a su posición en el terreno a un soldado caído, bombardeo ciudades, todo con la mayor impunidad.»

Juan apuntó bien a una fortaleza, blandió un teniente general y avanzó tres posiciones. El ejército de Napoleón se retiraba.

—Figúrate —le dijo—, al volver, olvidé que las esquinas son oblicuas. Creí que eran en ángulo recto, como las nuestras. Esto crea cierta incertidumbre al dar los pasos. Un auto, que giraba, casi me atropella. Extranjero muerto en la avenida. Morirse, en un lugar que no es el tuyo, tiene algo de impúdico.

171

Sólo deberían morir los nativos. Uno deja el cadáver por ahí, si es extranjero, para que los demás se ocupen de él, con lo cual, querido mío, la xenofobia va en aumento. ¡Fuera este condenado capitán inglés! —dijo, y eliminó del tablero a un presuntuoso uniformado.

—En la ciudad hay unas estatuas que nunca vi —confesó él, como si estuviera refiriendo un secreto.

—¿Crees que alguien mira alguna vez una estatua? —preguntó Juan—. Precisamente, se han hecho para que nadie las mire. Ahora bien, una ciudad sin estatuas, sería inconcebible. ¿Sabes si en Amsterdam hay alguna? No conozco muy bien la filosofía de las ciudades lacustres.

—Lo curioso de esas estatuas —prosiguió él— es que siempre están de espaldas, de modo que no puedo reconocerlas. Alcanzaría con cambiarme de lugar y buscarles la cara; pero en el sueño, algo impide que haga ese movimiento. La calle se empina demasiado, la plaza rota o sorpresivamente debo ascender una escalera penosa, que, por lo demás, no conduce a ninguna parte.

—La ciudad me pareció miserablemente chata —agregó Juan—. Claro que uno sabe que allí no hay montañas, ni colinas, ni siquiera edificios altos, pero *la sensación* de chatura era casi insoportable. Pensé en Gulliver. Estaba dispuesto a subirme a cualquier cosa, para experimentar el sentimiento de altura. A veces, en un ascensor, me descubría haciendo fuerza para animar al aparato a ascender unos pisos más. Y bien, las casas se cortan en la tercera o cuarta planta y no hay más posibilidades: así es, amigo mío, y hay que aceptarlo.

—Por un instante, la otra noche, creí conocer el

nombre de la ciudad. Se lo pregunté a un marinero que pasaba, por la calle, aunque curiosamente, el puerto había desaparecido. Él me dijo el nombre, pero no pude retenerlo. ¿Sabes? —repitió con énfasis—: Fui incapaz de retenerlo.

—Posiblemente no hubiera significado nada —respondió Juan, realizando un cuidadoso ataque de artillería. El juego ocupaba la mayor parte del suelo del living, y si a alguien se le ocurría caminar, debía tener mucho cuidado para no aplastar a una compañía del ejército o a los buques franceses, que dejaban el puerto de Calais.

—Habría sido una clave —insistió él.

—Por algo lo olvidaste. O bien no tenía ninguna importancia —detesto esa tendencia a dar relieve a los hechos más insignificantes: debemos respetar el derecho a la vida de las cosas veniales— o era tan importante que lo negaste. Elige cuál de las dos posibilidades te conviene más, del mismo modo en que yo, ahora, decidiré cuál de los dos ejércitos deseo que gane. Por lo demás —agregó—, no me cabe ninguna duda que la ciudad con la que sueñas no tiene nada que ver con la que te vio nacer. Lo he comprobado.

Él deseaba una descripción, una descripción precisa, minuciosa, de la ciudad que Juan había encontrado, pero éste no tenía el menor deseo de hacerla. Exigía el acto de fe de creerle.

—La presencia —dijo él— bien podría ser un hombre. Nada me conduce a pensar que se trata de una mujer.

—Cualquier precisión sexual, querido mío, me parece escandalosa. Tenemos el sexo que nos imponen; a lo sumo, lo aceptamos. Confiemos en que en

los sueños, por lo menos, esa determinación deje de
prevalecer. ¿Te dije que me disfrazaré de dama antigua, en el próximo carnaval? Ya me he comprado
el vestido. Lo decidí en el avión, en el viaje de regreso. Volábamos a seis mil quinientos metros de
altura. De pronto, se encendió la luz de emergencia.
El capitán murmuró algunas frases ininteligibles,
por el micrófono. Esas frases sin importancia: estén
tranquilos, no ocurre nada, etc. Ése es el momento
en que yo siempre me echo a temblar. Me di cuenta
de que descendíamos vertiginosamente, aunque no
pude descubrir la razón de ello. ¿Y sabes qué se me
ocurrió pensar en ese momento? Pues recordé que,
a los cinco años, deseé disfrazarme de dama antigua.
Imagínate el escándalo de mi familia. Me dejaron
pocas opciones: o elegía un disfraz de militar fran-
cés del siglo XVIII o uno de bombero. ¡Con lo que
yo deseaba pasearme bajo una sombrilla lila, con
flores blancas y usar manguito de piel! Me era muy
difícil comprender la rigidez de la prohibición. La
atribuí a alguna de esas absurdas reglas que regían
el mundo de los adultos, inexplicables, por lo demás,
y completamente arbitrarias. El avión ganó altura
otra vez y todos respiramos. Un pasajero pidió un
whisky; otro, una caja de puros. Varios se levanta-
ron para ir al baño. La azafata pasó a mi lado y te
aseguro que tuve deseos de pedirle una sombrilla
color lila y un manguito blanco. Estoy acostumbrado a vivir con los grandes deseos insatisfechos;
pero no estoy dispuesto a aceptar el incumplimiento
de los pequeños. De modo que luego de bajar (tú
sabes cómo detesto no ser aguardado en los aeropuertos, pero en esta ciudad nadie espera a nadie)
me dirigí a unos grandes almacenes y encargué un

vestido de dama antigua a mi medida. Sólo hubo que hacerle pequeñas reformas —dijo, feliz con su ocurrencia.

Él no parecía atenderlo.

—Me gustaría ver unas fotos —dijo, humildemente.

Juan lo miró con reconvención. Estaba a punto de perder a su espía normando, y eso le acarreaba un problema suplementario de estrategia.

—No he sacado fotos, querido —dijo, secamente—. No soporto la necrofilia.

Salió a la calle, vacilante. Le pareció que estaba muy oscuro. Seguramente el tiempo había transcurrido sin que se diera cuenta. Debía haberle deseado éxito a Juan en su reconstrucción de la batalla de Waterloo. Con seguridad, iba a poder modificar el transcurso de la historia. Los árboles estaban inclinados, a causa del viento (pero en esta ciudad nunca sopla el viento, reflexionó él) y le pareció que las ramas altas rotaban, como calesas. No bien hubo dejado el umbral, tropezó con un gran canal abierto en el suelo, que antes no había visto. La zanja estaba llena de tierra, de agua estancada, que olía mal, de hierbas húmedas y podridas. ¿Qué está pasando con el dinero de los impuestos?, pensó. Tuvo que tener mucho cuidado para no hundir el pie en esa hondonada. Caminó unos metros, por el estrecho margen que quedaba entre la pared y el hoyo, y al llegar a la esquina, se sorprendió al descubrir que el edificio del banco había sido sustituido por una pequeña casa baja, de sólo dos plantas, con un jardín en la azotea. Los edificios se construían y eran derruidos muy de prisa, según la especulación urbana, pero no podía entender, sin embargo, que el edificio sóli-

do, ancho y poderoso del banco hubiera sido derribado en tan poco tiempo y reemplazado por esta
casa humilde, de aspecto provinciano. El semáforo
andaba mal y prefirió cruzar hacia el otro lado, buscando los muros conocidos. Ésa era una ciudad sin
gatos, pero cuando atravesó la calzada, un par de
gatos negros, de gran tamaño, cruzaron por encima
casi de sus pies y lanzaron un maullido descontento.
Pero lo más extraño de todo era la ausencia de autos.
No se veía ninguno, en un sentido u otro de la avenida, y pensó que no era tan tarde como para que
todo el mundo estuviera durmiendo. Tampoco divisó
autobuses, lo cual aumentó su confusión. Sin duda,
estaba perdido. Pero, ¿cómo había venido a dar
aquí? No veía el nombre de las calles —no había
carteles de señalización ni placas conmemorativas—
y eso contribuía a desorientarlo. Buscó una cabina
telefónica. Estaba dispuesto a llamar a Juan y pedirle ayuda. A pesar de su aire burlón, era un buen
amigo. Por suerte encontró una cabina a pocos
pasos, aunque estaba oscura. A diferencia de las
demás cabinas de la ciudad, que eran rojas, ésta era
de color verde, y eso lo desconcertó, pero de todos
modos, penetró en ella. El disco tenía los números
borrados, cosa que suele suceder cuando se los ha
usado mucho. Quería marcar el 3, pero de pronto,
se dio cuenta de que el disco era de piedra, inamovible. Insistió, tratando de forzarlo, pero la rueda
se negaba a desplazarse. Con toda su energía, la golpeó, inútilmente. ¿A quién se le habría ocurrido una
broma semejante? Desistió, y decidió probar con
otra. No se veía ninguna en las inmediaciones. Pero
ahora, además, el suelo presentaba una gran inclinación, ascendía, como si se tratara de una colina,

y los árboles giraban. No había nadie en los alrededores, la ciudad parecía completamente desierta y los faroles del alumbrado no emitían luz. Intentó dar un nuevo paso (no en dirección a la colina, sino en sentido contrario), pero su pie derecho se hundió en una masa informe de barro. ¿Cuándo había llovido? El pie quedó atrapado e hizo esfuerzos por sacarlo. Miró hacia la cumbre de la montaña, y asombrado, comprobó que giraba. Los cielos rotaban, rotaban los árboles y la montaña. Y de pronto, sintió que había una presencia extraña no lejos de él. En la oscuridad, no pudo identificarla. Los cielos rotaban, los árboles y la montaña, no podía sacar el pie del lodo, el disco de la cabina era de piedra y alguien existía, no lejos de él, impenetrable, alguien que no se acercaba ni se alejaba, alguien cuyo rostro borroso no podía ver (¿cómo sabía, entonces, que su rostro era borroso?), alguien familiar y ajeno a la vez, que no extendía la mano (pero ¿acaso tenía mano?), hombre o mujer desconocido, mujer u hombre cuya presencia opresiva lo hundía cada vez más en el lodo de una calle que no reconocía y que acaso ya no era siquiera una calle.

DARLE MARGARITAS A LOS CERDOS

Me levanto temprano para dar de comer a los cerdos.

El campo está todavía sombrío, una larga nube gris encalló en lo alto, pero el campo de margaritas blancas resplandece, agitado por el viento. A la derecha está el cerco de madera donde los cerdos (grises a la penumbra del alba) duermen. Una franja de tierra marrón y estéril separa el campo de margaritas del cerco de los cerdos. Yo la recorro una y otra vez, sin prisa, mirando ora el crecimiento de las flores blancas y torneadas, de centro amarillo, ora el lomo gris de los cerdos, que duermen echados los unos sobre los otros, con sus raras pezuñas alzadas.

Cuando he reunido suficientes margaritas en los brazos, me dirijo hacia el chiquero que está cerrado. Al verme venir, los cerdos, aún entorpecidos por el sueño, gruñen y se empujan, sofocándose entre sí, como una lejana tormenta de truenos.

Casi todas las mañanas son grises, muy temprano, a la hora en que el campo de margaritas se estremece con el viento y los tallos verdes, inclinados, parecen tocar la tierra. Los cerdos, es verdad, chillan al aire elevando apenas sus cabezas y lo harían igual, posiblemente, si en lugar de margaritas, fue-

178

ran cardos. Se atropellan junto al cerco, la piel del lomo gris con un tinte salmón en los pelos superiores, el cielo se extiende lánguidamente y las margaritas vibran como un teclado de corcheas amarillas.

La sabiduría de las margaritas consiste en el tallo, que es áspero pero flexible y consigue inclinarse sin degollar las flores. La sabiduría de los cerdos, en cambio, es más difícil de aprehender, es un secreto casi impenetrable, parecido al de las piedras y al de los minerales. Grandes tótems inocentes como niños, brutales como antiguos dioses, soportan, con sus ridículos pies pequeños y coquetos, una carga superior a la debida, lo cual justifica la torpeza de sus movimientos y el frecuente malhumor de su mirada.

Lanzo mi carga de margaritas desde el cerco; caen como descolgadas del espacio como decenas de cadáveres acumulados por una excavadora en un foso. No hacen ruido al caer, y las flores, desnucadas, destilan un polvo amarillento que se junta en el suelo. Pronto la tierra está cubierta de ese polvo, como una capa de arena que hubiera llovido.

La reducción del centro de las margaritas a polvo amarillo, no estremece a los cerdos. Empujándose entre sí, gañendo desde las vísceras interiores cubiertas de grasa (barítonos malhumorados que comieron demasiado) se atropellan para coger los tallos verdes quebrados, los pétalos blancos que desaparecen por el hueco oscuro de sus bocas, como impelidos a una profundidad marina.

Hay que recoger muchas margaritas para tener satisfechos a los cerdos. Desde la cima del cerco, contemplo el espectáculo con melancolía. Los cerdos devoran las margaritas tropezando entre sí, blasfemando con su chillido agudo. Se apresurarían de la misma manera, si se trata de cardos. Pero hay algo bello —que ellos no comprenden— en el hecho de que bajo el cielo gris y desolado, se trata de margaritas.

Cuando han terminado de comer la primera tanda y sus hocicos, maquillados con el polvo amarillo de las flores se alzan torpemente buscando más, corro de nuevo hacia el campo y recojo otra carga de margaritas para darles. Si no me preocupara por el campo, posiblemente las margaritas escasearían y no flotarían en el aire con su bella corona blanca. Pero siempre estoy atento al cultivo de las margaritas. El cielo, permanentemente gris, me ayuda con sus lluvias serenas y el viento contribuye a sembrar.

Una vez, cuando era pequeño (y ya me ocupaba de ello), mi madre, asomándose al vano de la casa (como una sombría aparición inesperada) me reconvino. Yo estaba recogiendo las flores, inclinado sobre el campo bajo el frío viento, y de pronto la vi, negra figura en el escenario de piedra y de cartón.

—Hijo mío —me dijo—. ¿Por qué alimentas con margaritas a los cerdos?

Yo miré el campo de flores apenas agitadas por el viento que se extendía ante mis ojos con sus centros amarillos bajo el cielo uniforme y gris. El campo era largo y la formación de flores simétrica. Del otro lado, el cerco de cerdos era redondo y del suelo se elevaba un vaho de sudor y estiércol, el penetrante olor de los tótems dormidos torpemente. Poca gente resiste ese olor que, sin agradarme, constituye para mí una fuente inagotable de investigación. Algo que viene de lo antiguo está allí, mezclado con basura y cosas revueltas. Descubro raíces maceradas, troncos podridos, hierbas secas digeridas, jugos ácidos segregados por vísceras profundas. Una bola de olor amasada con líquidos untuosos y sórdidos.

Mi madre también podía ver el extenso campo de margaritas recortado contra el cielo gris, como una isla de pelícanos que el náufrago divisa entre las olas. Y a los cerdos, turbiamente echados los unos contra los otros, en concupiscencia grosera e inocente.

—El campo es grande —le dije—. Sólo he cultivado margaritas; si hay otra cosa, yo no lo sé. Las arranco y vuelven a crecer. El secreto de las margaritas es que no se conocen a sí mismas; eso les confiere belleza y humildad.

Los cerdos roncaban.

Los miré. Nunca había visto otra cosa que no fueran cerdos. Y ellos, posiblemente, no habían visto otra cosa que no fueran margaritas, pero no lo sabían, por lo cual les era indiferente.

—En cuanto a ellos —le dije a mi madre señalándole las masas grises que ahora comenzaban a gañir en el lodazal— ignoran que son cerdos e ignoran que se alimentan de margaritas y tanta ignorancia les permite devorar mejor las flores que yo cultivo sin dificultad en el campo.

Mi madre volvió a entrar en la casa, de la cual nunca salía y yo miré mis cerdos, mis margaritas y ausculté el cielo, esperando la lluvia. Sin cerdos para alimentarse con ellas, las margaritas morirían inútilmente colgadas de sus tallos, porque yo no las como, y mi madre tampoco.

ÍNDICE

El museo de los esfuerzos inútiles   9
En la cuerda floja   17
Mona Lisa   26
El corredor tropieza   32
El rugido de Tarzán   37
Sesión   41
La navidad de los lagartos   48
La grieta   56
La oveja rebelde   63
Sordo como una tapia   69
Punto final   73
El viaje inconcluso   76
Cartas   84
Banderas   88
Las avenidas de la lengua   92
Instrucciones para bajar de la cama   96
Aeropuertos   103
El tiempo todo lo cura   108
Historia de amor   112
El sentido del deber   116
Entre la espada y la pared   120
El efecto de la luz sobre los peces   122
El cómputo del tiempo   128
Las estatuas o la condición del extranjero   131
La peluquería   133
Miércoles   135
Las bañistas   143
Cuaderno de viaje   155
La ciudad   160
Darle margaritas a los cerdos   178

Impreso en el mes de mayo de 1989
en Talleres Gráficos DUPLEX, S. A.
Ciudad de la Asunción, 26
08030 Barcelona